pliegos de ensayo

IDEA Y REPRESENTACIÓN LITERARIA
EN LA NARRATIVA DE RENÉ MARQUÉS

VERNON L. PETERSON
Missouri Southern State College

IDEA Y REPRESENTACION LITERARIA EN LA NARRATIVA DE RENE MARQUES

EDITORIAL PLIEGOS
MADRID

Depósito Legal: M. 7.385-1986
I.S.B.N.: 84-86214-15-7

Colección Pliegos de Ensayo
Diseño: Rogelio Quintana
EDITORIAL PLIEGOS
Gobernador, 29 - 4.º A - 28014 Madrid
Apartado 50.358
Printed in Spain

Impreso en España
por PRUDENCIO IBÁÑEZ CAMPOS
Cerro del Viso, 16
Torrejón de Ardoz (Madrid)

RECONOCIMIENTOS

Reconozco aquí con profunda gratitud y gozo la inestimable ayuda de mi familia, parientes, amigos, condiscípulos, colegas y maestros quienes hicieron posible la realización de este libro. Reconozco también la valiosa contribución académica de todos mis profesores de la Universidad de Iowa, EE. UU.

Reconozco, sobre todo y de manera muy particular, la labor ardua y paciente de mi amigo Oscar Fernández, cuya colaboración ha sido tan productiva como constante y cuyo curso de verano de hace trece años me permitió conocer mejor la narrativa de René Marqués y me inició en la crítica moderna de la literatura. Quiero darle las gracias también a mis colegas Enrique Fernández-Barros, Oscar Hahn, Mario Santizo y Norman Luxenburg. Sus preguntas, sugerencias e incitaciones me valieron mucho, pero más que nada quiero agradecerles la confianza que pusieron en mí y el fuerte apoyo que me brindaron, los cuales seguramente me ayudaron a realizar el presente estudio.

ÍNDICE

INTRODUCCIÓN

Parte primera: Palabras preliminares sobre René Marqués, escritor contemporáneo puertorriqueño; aproximación a su narrativa.

Nuestra literatura hispanoamericana, si ha de cumplir la alta misión social-humanista que le asignan hoy sus mejores exponentes, tendrá que contar con escritores cada vez más francos, cuyos acercamientos intelectuales e intuitivos aspiren definir los problemas humanos con ideas claras y representaciones literarias apropiadas. Es más, si hemos de creer a los críticos, y hasta a los propios escritores, habrá que contar también con autores más valientes, comprometidos con la sinceridad y capaces de interpretar la condición del hombre individual y colectivo, indicando exactamente cuál ha sido hasta el presente su destino histórico-cultural [1].

Cualquier delineación literaria del futuro del hombre hispanoamericano debe desprenderse naturalmente de una profunda interpretación de los factores histórico-culturales que han forjado su carácter general contemporáneo. Esta interpretación, para ser completa, descansará en un análisis que sea a la vez intelectual e intuitivo y que reconozca el poder con que seguirán obrando esos factores que hoy son la base de su condición humana.

Tal delineación literaria, además de ser franca y valiente, se

---

[1] MERCEDES CABELLO DE CARBONERA, citada en JULIO DURÁN-CERDA, «El cuento chileno contemporáneo», *Studies in Short Fiction,* VIII, núm. 1, Winter, 1971. Véase también THOMAS E. KAKONIS y BÁRBARA G. T. DESMARAIS, *The Literary Artist as Social Critic* (Beverly Hills, California: Glencoe Pres, 1969), pp. XIII-XV.

basará en ese análisis intelectual-intuitivo y tendrá su cabal eficacia en nuevas visiones poéticas e innovaciones estilísticas, e incluirá un sentido figurado del arte, rítmico y lírico. Se insiste en que será esta mezcla, bien lograda, lo que dará ímpetu transformador a dicho destino, que sigue desenvolviéndose día a día.

Caso único, en lo que atañe a los destinos particulares de nuestros pueblos hispanoamericanos, es el que nos presenta Puerto Rico con su civilización insular híbrida. Entre los boricuas dedicados larga y entusiastamente al destino de su pueblo y al cuidadoso examen de su identidad y de su más auténtica cultura, son pocos los que han devenido instrumentos de arte literario tan bien afinados como René Marqués. La dedicación de René Marqués a la literatura muy pronto se convirtió en él también en preocupación humanista, la cual a su vez dio a luz unas obras de las más valiosas de toda la historia literaria de Puerto Rico. Los jóvenes escritores puertorriqueños que se ocupan hoy de su destino isleño, si desean conocerlo bien en todo su espectro cultural, se verán precisados a reconocer los valores de la llamada promoción del 40 [2]. La voz colectiva de esta generación habla claro sobre los factores histórico-culturales y económico-sociales determinantes en el país. Entre los excelentes escritores que constituyen la promoción del 40, se destaca mucho el nombre de René Marqués. Enrique Laguerre nos dice que fue «el primer escritor puertorriqueño en experimentar con los gustos y los modos que las nuevas corrientes literarias —Joyce, Proust, Huxley, Faulkner, Kafka— proponían» [3]. De que el experimento tuvo éxito ya no existe duda. Este éxito descansa las más veces en fórmulas literarias únicas e innovaciones artísticas avanzadas y potentes. Se estructura sobre bases intelectuales e intuitivas con un equilibrio perfecto entre contenido y forma. René Marqués reunió las condiciones necesarias mencionadas antes, a saber: la capacidad analítica e interpretadora, así como la visión poética y con ellas supo escribir unas narraciones maestras y sin los excesos filosóficos en

---

[2] RENÉ MARQUÉS, *Cuentos puertorriqueños de hoy*, 5th ed. (Río Piedras: Editorial Cultural, 1975), pp. 15-19.

[3] ENRIQUE LAGUERRE, *El Mundo* (San Juan, Puerto Rico), 31 de mayo de 1979, p. 9-A.

que habían incurrido autores de menos valer, de menos conciencia popular y de menos aptitud estética.

René Marqués está despertando mucho interés en todo nuestro mundo literario hispano, no solamente por su reconocida calidad de dramaturgo, sino también por su arte narrativo. Entre muchas obras de teatro suyas de gran calidad está *La carreta,* cuya fama continúa repercutiendo hasta en los ámbitos extranjeros [4]. *La carreta* ha sido ya traducida y representada en lengua inglesa, y la obra original sigue atrayendo poderosamente a los estudiosos de la sociología, psicología y lingüística como documento social de dimensión épica en el cual nuestro autor se distingue como pensador de alto valor humanista. Entre sus obras narrativas hay muchos cuentos y novelas que muestran la excelencia de su esmerada y complicada técnica. En estas obras descuella siempre una visión artística muy eficaz. En suma, René Marqués sobresale en las letras hispanas por sus profundos y amplios conocimientos de las ilusiones y problemas humanos y, lo que es más, por la manera en que los representa literariamente. Aprovechando un punto de vista muy personal que deja conocer su inmenso anhelo de conservar, cuando no un gran sentido de nación, siempre una dignidad humana puertorriqueña que a su parecer merece mejor destino.

A diferencia de su teatro, la narrativa de René Marqués no ha recibido aún la atención que merece y aun menos la investigación y valoración crítica que corresponde a una producción tan lograda. Su temática desborda en elementos tan decisivos como lo son las relaciones humanas entre tres sistemas de vida. Los efectos producidos por el choque de valores de estos tres sistemas están casi siempre presentes en su narrativa, que sirve como claro ejemplo de los problemas de la política internacional. Todo ello pide la atención de que hablamos, sin mencionar su consabida técnica de narrador y su sobresaliente virtuosismo lingüístico. Afortunadamente ya tenemos algunas historias literarias hispanoamericanas que comienzan a anotar datos muy significativos al respecto y que registran el nombre de René Marqués

---

[4] NORMAN NADEL, «Marqués' 'ox-cart'», *World Journal Tribune,* Dec. 20. 1966, p. 18.

y comentan su gran talento y excelente estilo como cuentista y
novelista [5]. Existen también antologías [6] de cuentos publicados
fuera de Puerto Rico que incluyen obras de René Marqués y
que lo destacan como maestro de un estilo singular y eficaz. De
todas maneras, hemos querido señalar esa falta y realizar uno
de los estudios críticos que, a nuestro entender, precisa la labor
narrativa de Marqués.

Los pocos críticos que se han ocupado de valorar las narraciones de René Marqués lo han hecho de manera muy limitada [7].
Algunos se han concentrado en su cuentística, enumerando y explicando temas y recursos estilísticos solamente o examinando
algún cuento de certamen. No obstante, por ser humanistas pre-
parados que desean descubrir y exaltar todo lo valioso que pueda
haber en la literatura isleña, han fomentado y promovido lo más
posible cualquier valor postergado o nuevo. Entre los críticos
que se han dedicado de forma ejemplar al estudio de la narrativa de nuestro autor, aunque de manera también limitada, de-
bemos citar a Concha Meléndez y a Enrique Laguerre. Ellos han
indicado las líneas generales que han seguido la narrativa de su
compatriota y colega, René Marqués. Fueron ellos también quienes, en un momento temprano, expresaron satisfacción y confianza en René Marqués. Esto lo hicieron después de examinar
críticamente sus cuentos, pero sin intentar un análisis extenso
de toda su narrativa como el que se pretende en la presente labor nuestra. Para este escrutinio de las ideas y de su representación literaria hemos tratado de estar siempre atentos a lo que
es más caracterizador del estilo del autor y, naturalmente, a lo
que nos parece grande, imponente y privativo de él. Se comentan aquí los principales recursos observables en el sistema selectivo literario con el cual plasma sus ideas. Estos ilustran
bien las elevadísimas dotes personales de nuestro autor. René
Marqués se ha singularizado por su ideas mayormente filosó-

    [5] ORLANDO GÓMEZ-GIL, *Historia crítica de la literatura hispanoame-
ricana* (New York: Holt, Rinehart and Winston, 1968), pp. 722, 728.
    [6] FERNANDO ALEGRÍA, *Autores contemporáneos hispanoamericanos* (Bos-
ton: D. C. Heath, 1964), pp. 155-82. Véase también ENRIQUE A. LAGUERRE,
Editor, *Antología de cuentos puertorriqueños* (México: Editorial Orión,
1978).
    [7] Véase MARQUÉS, pp. 32-36.

ficas, por la esencia puertorriqueña que encierra su narrativa, por las innovaciones en la voz narradora, y por otros muchos valores de orden técnico-artístico.

René Marqués se distingue entre sus coterráneos y entre los maestros todos del género narrativo por saber combinar el vigor intelectual con la erudición, su intuición, su visión poética, y por su tono e impacto emotivo. Ha sabido combinar su infatigable fervor humanista con sus inimitables dotes creadoras. Esta clase de arte literario nos aporta ímpetu y claridad espirituales que seguramente tendrán que alumbrar la condición del hombre en la tierra. Este análisis crítico, por lo tanto, se ha llevado a cabo con la intención de situar convenientemente a René Marqués dentro de la alta narrativa contemporánea hispanoamericana y de reservarle un lugar de prestigio entre nuestros mejores escritores de la actualidad. Hablando del escritor paraguayo Augusto Roa Bastos, el crítico Gómez-Gil dice: «técnicamente pertenece al grupo de los nuevos narradores: Asturias, Marqués, Rulfo y otros» [8]. Esta observación reconoce de forma implícita que René Marqués ya alcanzó distinción de la más alta categoría, que su nombre figura entre los de Roa Bastos, Asturias, Rulfo, tres escritores de gran fama literaria en todo el mundo hispano. El mismo crítico, al comentar los valores contemporáneos de las letras de Puerto Rico, dice que René Marqués es «posiblemente su mejor escritor» [9].

Hay en la actualidad en Puerto Rico mucha actividad dedicada a reafirmar e interpretar la vida presente en la isla a base de un examen sincero de su historia y su cultura. René Marqués, hasta su prematura muerte en 1979, estuvo entre los maestros y escritores más activos.

En la narrativa de René Marqués se observa un aspecto esencial que ha quedado sin investigar y sin valorar: su erudición. E igualmente ha quedado sin estudiarse en su narrativa el René Marqués pensador. El que René Marqués no haya definido bien en su narrativa sus ideas patrióticas ni propuesto una filosofía, ideología o política bien postulada, no quiere decir que no haya

---

[8] Véase GÓMEZ-GIL, p. 722.
[9] *Ibid.*

expuesto ideas de las más penetrantes sobre la civilización híbrida puertorriqueña, con el objeto de transformarla y con el deseo de contribuir a su mejor futuro. Esto se halla en la dedicatoria tan personal que él pone en su novela *La víspera del hombre*. Dice así: «A mis hijos, Raúl Fernando, Brunilda María y Francisco René, esperanzado de que la lucha por la libertad sea para los de su generación menos angustiosa que lo fue para la mía» [10].

La libertad de que se habla aquí no sólo se limita a la que trae la independencia política de una nación, sino que también comprende esa libertad mayor de que es capaz el hombre cuando logra deshacerse de su miedo, de su ignorancia de su malestar personal y social, no la libertad que alcanza el espíritu que aprende a reconocer los límites que le imponen las realidades económica, cultural y personal, o por decirlo así, los límites inevitables que enfrentan todos los seres humanos; esa libertad que gozan las personas que se contentan con cambios sociales, con transformaciones culturales y políticas logradas poco a poco, sin angustiarse demasiado. La vida de nuestro autor, en cambio, siempre llevó un paso rápido, a veces febril, persiguiendo una libertad absoluta, y una paz que dependía de que se cumplieran esperanzas de las más grandes posibles, esperanzas que sólo podrían realizarse si la isla entera con todos sus habitantes pudiera resolver los problemas económicos, sociales y culturales impuestos por la historia misma, única realidad verdadera.

La erudición de René Marqués como tema principal queda fuera de nuestro estudio, ya que para valorarla bien habría que ocuparse de su ensayística. Sin embargo, nos hemos comprometido a aclarar aquí cómo han influido en él sus lecturas y cómo se orienta René Marqués, pensador, al lanzarse a su narrativa. Deseamos por eso señalar el papel preeminente de los epígrafes y demostrar que las lecturas de René Marqués le sirvieron de fuente de inspiración artística o de apoyo filosófico para su creación narrativa.

---

[10] RENÉ MARQUÉS, *La víspera del hombre*, 5th ed. (Río Piedras, Puerto Rico: Editorial Cultural, Inc., 1975), p. 3.

Parte segunda: Hipótesis y proposición.

Nos parece comprobable que los epígrafes forman la base ideológica de esta narrativa. Con el objeto de valorar esta hipótesis hemos llevado a cabo un análisis crítico de una de las obras en cuestión, comparando la idea del epígrafe con la idea predominante en la obra. Nuestra intención al respecto es describir la relación que pueda existir entre el epígrafe y la obra a que pertenece. El mismo análisis se hace después con trece obras más.

Difícil sería exagerar la influencia que tuvieron en Marqués sus lecturas y su formación académica. los epígrafes (sentencias, citas poéticas, ideas filosóficas) indican claramente la formación literaria e intelectual que tenía el autor. Su narrativa consta de dos novelas y de veintiséis cuentos y queremos señalar que todas estas obras, menos cuatro, van encabezadas con epígrafes. Tenemos noticia de algunos otros cuentos que no pudimos incluir en este estudio.

Antes de exponer nuestro método analítico deseamos expresar una opinión que quizá explique la tardanza con que se le ha reconocido a René Marqués el talento que tiene como novelista y cuentista. Nos referimos naturalmente a la fama que ya tenía como dramaturgo y ensayista, la cual pesó algo, tal vez mucho, para que su narrativa no recibiera la atención que merecía y que en parte se le da aquí.

Hemos procurado analizar la narrativa de René Marqués de modo tal que quede valorizada en todo su gran conjunto (novelas así como cuentos), apreciada y estimada de acuerdo con un criterio riguroso y menos parcial que el que le han aplicado hasta la fecha los críticos que citamos. Para nuestra encuesta nos han sido especialmente útiles las muchas reseñas críticas periodísticas puertorriqueñas que pudimos consultar. Nos hemos encargado de estimar el lugar de René Marqués entre los autores hispanoamericanos en lo que se refiere a las modalidades experimentales, sobre todo al existencialismo literario.

Nuestra labor principal, en cambio, consiste en examinar las ideas y representación literaria de René Marqués, o sea, el valor de éstas como sistema selectivo, sin hacer muchas comparaciones

con obras de otros escritores. Aquí no intentamos extendernos en
el campo de la literatura comparativa en lo que atañe a las fuentes epigráficas ni tratar tampoco la función de las citas en su
contexto literario original. Como es de suponer, hemos querido
concentrar nuestro análisis más amplio y profundo en los diver-
sos componentes ideológicos, retóricos, lingüísticos y tipológicos.
Sin embargo, hemos hecho hincapié también en el aspecto filosófico de sus obras y hemos aclarado cuáles son los elementos más
típicos, particulares o hasta privativos del genio de René Marqués.
Para ello hemos escogido solamente los momentos cumbres en
los cuales los componentes ideológicos y literarios se presentan
y se unen de manera magistral.

La categorización de sus obras narrativas sirve a una función
especial, aunque no principal, en este estudio, a saber: observar
hacia dónde se orientan las ideas enunciadas en los catorce epígrafes tratados, ya hacia lo positivo, lo ambivalente, lo negativo
o hacia una protesta político-social. Esto lo hacemos sin perder
de vista la intención artística u otra motivación presente en determinada obra del autor.

Nuestra labor crítica e investigadora se estructura sobre dos
bases que denominamos idea y representación literaria. Estas
dos bases orientan nuestro método de investigación y esperamos
que lo hagan de modo positivo, integrado y completo. Nuestra
intención primordial ha sido tratar la narrativa del autor de tal
modo que ésta nos permita descubrir, antes que nada, las ideas
predominantes en ellas para saber si en la extensa temática de
la narrativa de Marqués emerge un núcleo de ideas o preocupaciones afines, y si éstas correspondan también a su sistema
selectivo literario. Esta categorización se hace de acuerdo con
la actitud del personaje central en el desenlace o momento final
de cada obra. Tal diferenciación entre uno y otro relato aclara
la capacidad del autor de ver al hombre desde puntos de vista
amplios e indica también en parte la tendencia principal de las
actitudes de que se trata.

Al calificar una u otra como positiva, ambivalente, negativa,
o como de protesta político-social, nosotros tuvimos que considerar también la cuestión moral en algunas obras de tema pa-
tentemente político-social. Para la categorización de estas últi-

mas obras adoptamos el criterio explicado por Ángel del Río quien, al comentar problemas parecidos en la primera epopeya española, indica la norma del héroe, el Cid, el cual apela al orden establecido [11]. Nos atenemos a este modelo literario más antiguo para juzgar menos arbitrariamente las actitudes de los personajes tal como se observan en los desenlaces en cuestión. Aparte de las cuatro grandes líneas o categorías, también señalamos la intención artística particular que se da en estas obras.

Observamos igualmente que en las obras de protesta político-social se intensifica la simpatía de los lectores hacia los protagonistas, aunque en último análisis no estemos de acuerdo con la acción que tome el presonaje central. Los efectos de esta negación literaria son, por lo tanto, positivos, presentándonos con mucha claridad unas crisis interiores que a veces brotan violentas por las páginas de estos relatos.

El tercer paso consiste en escrutar la representación literaria con la cual nuestro autor ha dado expresión artística a sus ideas. Esta representación delinea una visión poética, una aptitud interpretadora, una capacidad de plasmar lingüística de tipo nuevo para las letras hispanas. Hemos supuesto, y creemos que nuestra suposición es acertada y comprobable, que esta expresión literaria llega a funcionar como otra fuerza orientadora en su narrativa y que desde un tiempo temprano en su vocación de escritor, comienza a influir mucho en sus ideas, y que habría de adquirir recursos nuevos y geniales que dejarían su estampa propia y que obraría fuertemente en su sensibilidad, tanto para refinar y avanzar su arte como para limitarlo también.

Los momentos cumbres estudiados aquí exhiben bien los rasgos y recursos literarios que distinguen más a René Marqués. Los efectos que producen son muchos, variados y grandes. Es en estos momentos cumbres donde nuestro análisis ha podido indicar cuáles son los méritos y también los defectos de su estilo.

Al sistema selectivo literario del autor lo hemos denominado representación literaria, nombre que nos parece adecuado por relacionarse directamente con el problema enfrentado cuando el

---

[11] ÁNGEL DEL RÍO y DIEGO MARÍN, *Breve historia de la literatura española* (New York: Holt, Rinehart and Winston, 1966), pp. 8-9.

autor desea hacer más qué expresarse, más que evocar épocas o costumbres, más que comunicar ideas. Se relaciona íntimamente con su afán de dejar plasmados sus sentimientos, de exteriorizar sus ideas por medio de estructuras tangibles cada vez más distintivas e independientes. La palabra expresión se usa con frecuencia en la crítica general de modo restrictivo, refiriéndose al acto mismo de escribir o hablar. Pero no basta para indicar el resultado completo, el fruto lleno y maduro de la forma en su configuración literaria independiente. La frase «representación literaria» en cambio ilustra con mayor precisión, creemos, la manera en que el componente formal ha servido de medio estético en la realización de la labor en cuestión. La frase denomina, pues, una idea, un sentimiento «vuelto a presentar». En el caso de René Marqués hay que ver hasta la forma en que este medio se produce. Por ejemplo, hay letras de varios tipos que pueden representar gráficamente las voces de personajes que hablan (o la voz narradora), aclarando así al lector su técnica narrativa.

En su artículo sobre *Otro día nuestro,* Mireya Jaime Freyre explica otra razón por la cual nos ha llamado tanto la atención la narrativa de René Marqués, y por la que nos hemos propuesto esta labor de crítica. Ella dice:

> El excelente español en que este libro está escrito determina lo favorable de la primera impresión que recibe el lector... Su autor escribe en buen español. Nada más... después de haber tratado de forzarnos, tantísimas veces, a leer libros en pésimo estilo, en un lenguaje paupérrimo, llenos de toda clase de faltas gramaticales, carentes de la menor indicación de una noción de armonía o de buen gusto —libros cuyos autores creen que es signo de modernidad y de literatura avanzada el escribir tal como sus pensamientos les vienen a la cabeza (y por consiguiente mal) * nos causa gran placer encontrar en René Marqués tal maestría de expresión [12].

---

[12] Mireya Jaimes-Freyre, «Otro día nuestro», *Mundial; revista de artes y letras,* San Juan, Puerto Rico, febrero de 1957, núm. 2, pp. 17-19.

Parte tercera: Método analítico, enfoque y signos tipográficos particulares.

En el primer capítulo de este estudio se analiza *La víspera del hombre*. Este análisis se estructura sobre las ideas que se presentan en dicha novela y sobre su representación literaria. *La víspera del hombre* fue la primera novela que escribió René Marqués. La escogimos por su variada temática y por su extensa representación literaria. Es su obra más larga aunque no creemos que sea la mejor. Esta obra nos ha servido de modelo para hacer un reconocimiento amplio de las ideas que encierra su narrativa entera y asimismo para identificar los recursos literarios que la caracterizan. *La víspera del hombre* no contiene, claro está, todas las líneas idealógicas, ni ejemplos de todos los recursos que encontramos en su narrativa completa. Sin embargo, está hecha casi a la medida para conocer el estilo general de René Marqués. Esta novela no es la obra modelo (o patrón) para toda nuestra investigación y crítica, pero de ella partimos para analizar la relación que puede tener un epígrafe con las ideas de una obra y para analizar la representación literaria que tomen dichas ideas. Así que por su extensión, por sus temas, por sus aspectos estilísticos y sobre todo por la forma en que el autor emplea su intelecto, erudición e intuición, optamos por esta obra para comenzar nuestra valoración del René Marqués narrador.

Hemos intentado limitar nuestra crítica al análisis del vínculo que existe entre los epígrafes y las ideas e impresiones del autor. Y éstas las hemos limitado, hasta donde nos ha sido posible, a los momentos cumbres de su representación literaria.

El epígrafe que nuestro autor le pone a *La víspera del hombre* es el que sigue: «*¡Cuánto duele crecer! ¡Cuán hondo es el dolor de alzarse en puntillas y observar, con temblores de angustia, esa cosa tremenda que es la vida del hombre!*» [13]. A di-

---

[13] RENÉ MARQUÉS, *La víspera del hombre*, 5th ed. (Río Piedras, Puerto Rico: Editorial Cultural, 1975), p. 7. Todas las citas de este estudio que pertenecen a esta novela se toman de esta edición y se escribe el número de la página en cuestión entre paréntesis.

ferencia de la gran mayoría de los epígrafes que encabezan sus
cuentos y su otra novela, éste fue escrito por el autor mismo.
Tiene de particular que es el que mejor refleja la angustiada actitud sentimental, tan personal, que asume René Marqués ante
el tema existencialista. Y si lo comparamos, por ejemplo, con
otro epígrafe parecido, una canción popular que el autor le pone
al cuento «El disparo», vemos la diferencia. El de La canción
popular dice, «*Este mundo absurdo que no sabe adónde va...*» [14].
Se observa que el epígrafe de René Marqués expresa un dolor
fuerte y más intensamente personal que llega hasta el clamor.
El otro expresa una idea parecida, pero apaga más el tono triste
y en él se nota más distancia entre el sentimiento personal y la
representación literaria que se le da. Se diría que el epígrafe de
la canción popular es más objetivo, más emoción-masa, más pena colectiva, menos sentimental y menos intelectual. De haber
usado otro epígrafe que encierre la misma idea, la comparación
sería más ilustradora, pero quisimos usar dos de los que emplea
nuestro autor. Esta intensa emoción personal e intelectual de
René Marqués resalta con frecuencia en sus obras y se combina
con una preocupación paternal y con un enorme anhelo de proteger y de conservar intacta a la familia isleña, los puertorriqueños. Esta va a ser, pues, nota caracterizadora en casi todo el
repertorio narrativo de René Marqués.

El análisis que hacemos de los epígrafes va más allá de una
enunciación de los temas tratados por nuestro escritor. Nuestra
intención es hacer ver que René Marqués, tal como lo muestran
los epígrafes, es un escritor fundamentalmente erudito, en sentido amplio; pero es además de eso un artista literario, un intelectual de gran intuición cuyas obras se inclinan hacia un plano estético.

Por otra parte, obsérvese que la palabra «idea», como la usa-
mos en este análisis, se refiere a la postura u opinión particular
del autor ante los temas tratados en las respectivas obras. Tal
opinión la aislamos y la aclaramos al describir la actitud del personaje central en el momento del desenlace y al considerar la
situación en que se encuentra al terminar la narración. Un ob-

---

[14] RENÉ MARQUÉS, *Inmersos en el silencio* (Río Piedras: Editorial Antillana, 1976), p. 159.

jetivo primordial de este estudio, por lo tanto, es examinar la relación que tiene el epígrafe con la narración a que pertenece y valorar la concepción epígrafe-narración en las obras narrativas de René Marqués.

La relación entre el epígrafe que lleva *La víspera del hombre* y las ideas expuestas en la novela es confirmada una y otra vez en el desarrollo de Pirulo, el personaje principal, que apenas si deja de expresar su angustiada condición de alma. El estudio de Pirulo nos deja saber que no sólo existe una relación entre su ser, en sus cambiantes estados de ánimo, y el epígrafe, sino que la relación es íntima y continua y que casi no varía nada de lo expresado por el epígrafe. Vemos también lo mucho que el autor y el personaje se confunden en los elementos autobiográficos, ya para aumentar el valor literario de la obra, ya para restarle valor, todo lo cual se comenta en dicho análisis.

Conviene reconocer que *La víspera del hombre* no es la primera obra en que nuestro autor trata el tema del existencialismo. Mientras que esta novela se publicó en 1959, su cuento «El miedo» (cuento existencialista) apareció en 1948, año en que también obtuvo el Premio de Cuento del Ateneo. En este concurso actuaban como jurados el novelista peruano Ciro Alegría, el poeta Luis Palés Matos y el doctor Tomás Blanco. Afirma Concha Meléndez que «con este cuento se introduce por primera vez el existencialismo en la literatura puertorriqueña» [15]. Esto nos permite comprender mejor por qué René Marqués pudo crear un personaje como Pirulo. A Marqués le tocó, como ha dicho Concha Meléndez, la distinción de introducir el existencialismo en la isla de Puerto Rico y ya diez años más tarde estaba preparado para tratar el tema de forma extensa. Así nació la novela (su primera) *La víspera del hombre.*

Es una novela dividida en treinta y cuatro capítulos (287 págs.), cuyo argumento gira en torno al personaje Pirulo, cuya vida se despliega en su adolescencia y que manifiesta la terrible sensación del desarrollo moral. Pirulo pronto experimenta el dolor del

---

[15] CONCHA MELÉNDEZ, citada en RENÉ MARQUÉS, *En una ciudad llamada San Juan*, 3rd ed. (Río Piedras: Editorial Cultural, Inc., 1970), p. 10.

abandono y a cada paso parece asombrarse por todo lo que ve, oye, toca, huele, sabe, y más aún por lo que siente dentro de sí a causa de los estímulos de orden espiritual. Por todo ello los lectores llegamos a conocer y a apreciar el momento histórico y cultural que se está viviendo en Puerto Rico. El espíritu impresionable de Pirulo, ya tierno, ya rebelde, es el espejo en que el lector lee hechos y circunstancias, espejo que refleja la esencia y el carácter puertorriqueños. Todos los demás personajes (y son muchos) se conocen por medio de este joven, o sea, por la forma en que él es afectado por las palabras y acciones de ellos. Asombra la manera en que las situaciones en que se halla lo mueven de una parte a otra, y a través de estos desplazamientos conocemos varios aspectos de la sociedad puertorriqueña a la vez descubrimos cómo el muchacho está desarrollando su modo de pensar.

Las descripciones de la isla son muchas a lo largo de la novela y en general están bien logradas. Por otra parte se observa que los pensamientos de Pirulo sirven de medio de expresión del autor y que hay momentos en que no existe una correspondencia exacta entre lo que los lectores sabemos acerca del carácter del muchacho y los pensamientos que el autor le imputa.

Los contratiempos sufridos por el joven nos indican que los hechos ocurren en el Puerto Rico de principios del siglo xx, hacia la segunda y la tercera década. El lugar en que ocurren es el norte de la isla y corresponde a Arecibo y a la región que queda al sur de Arecibo. El mundo ficticio lo son San Isidro y Carrizal. Se narra casi todo desde el punto de vista limitado de Pirulo o desde la omnisciencia del narrador. Este habla por Pirulo, para Pirulo, de Pirulo, y por el autor. Esto último a veces resulta antiartístico.

Pirulo nace en la zona que se acaba de mencionar y en toda la novela este muchacho no se llamará por otro nombre más que Pirulo y la víspera que aparece en el título de la novela es, desde luego, la de Pirulo haciéndose hombre. Aquí observamos los momentos en que Pirulo adquiere, ya definitivamente, la conciencia plena del que es capaz de reflexionar. Y como lo anuncia el epígrafe, es un momento tremendo en que se da cuenta de que sus actos producen consecuencias, que éstas son inevitables y que repercuten en las vidas ajenas, en las vidas de los que comparten su mundo. Este es el lienzo grande, el marco histórico, el aspecto cultural, es en fin, la vida de Pirulo que se va a estudiar.

Al analizar el estilo del autor hemos intentado tratar el contenido, la idea, y las técnicas por las cuales consideramos que René Marqués es un narrador por excelencia. Nos preguntamos si a muchos críticos literarios se les hacía difícil creer que René Marqués pudiera de verdad cultivar bien cuatro géneros (teatro, ensayo, cuento, novela) con la misma calidad superior. A estas alturas nos parece menos difícil afirmar que su narrativa, efectivamente, supera, cuando menos por su estilo único, a la narrativa de otros muchos escritores que llaman la atención durante las cuatro décadas pasadas. Esther Rodríguez Ramos, infatigable investigadora puertorriqueña en materia literaria de su isla, ha dicho:

> A pesar de que René Marqués es uno de nuestros más destacados y controversiales escritores, no se conoce hasta la fecha ningún estudio de conjunto sobre su ya voluminosa obra. Los artículos que en torno a ésta han aparecido en los periódicos y revistas del país, sólo la comentan de modo parcial. Por otro lado, algunos de ellos están destinados a juzgar al escritor más sobre bases políticas que sobre bases literarias [16].

La misma investigadora aborda uno de los más importantes aspectos de la misma materia: sus cuentos. Ella ha preferido ocuparse principalmente de enumerar y comentar (aunque ha hecho más) los temas y recursos retóricos de los cuentos de nuestro autor. Esta enumeración y explicación valen para el propósito en cuestión. Nosotros, sin embargo, nos hemos ocupado de comentar otros muchos aspectos de su narrativa. Muy pronto fuimos tomando conciencia de un sistema selectivo de ideas y de retórica no tratados por la investigadora antes mencionada. También creemos haber contenido eficazmente el gran número de recursos, haciéndolos muy manejables.

Para identificar el núcleo de ideas y preocupaciones afines

---

[16] ESTHER RODRÍGUEZ RAMOS, *Los cuentos de René Marqués* (Río Piedras: Editorial Universitaria de Puerto Rico, 1976), p. 7.

que motivan al autor, hemos sujetado su narrativa a un método de investigación y crítica. Hemos notado también en esta narrativa un sistema selectivo propio y un repertorio de recursos único con los cuales René Marqués representa esas ideas y preocupaciones. Esta representación literaria constituye dentro de las letras hispánicas una técnica *sui generis* cuyas características, méritos y defectos se definen y se valorizan con el método crítico que sigue, en el que nos apoyamos para probar nuestra hipótesis.

Además de aplicarle a la narrativa este método también hemos categorizado catorce obras representativas como obras modelo de acuerdo con la actitud y situación del personaje definidas por lo que ocurre en el desenlace.

La aplicación del método crítico consiste en lo siguiente:

1. *Análisis de la concepción epígrafe-narración y de su función en la estructuración formal de la narrativa. Tal análisis tiene por objeto averiguar si la gran concentración de ideas contenidas en cada tema como base filosófica o artística se manifiesta también en la expresión de su genio creador al combinarse con sus conocimientos de la historia, la literatura y el hombre.*

2. *Definición de la sensibilidad del autor y su afectividad por todo lo que es auténticamente puertorriqueño. Tal definición tiene por objeto indentificar e interpretar la presencia de un anhelo de nación o sentido de patriotismo constante, y aclara el afán apasionado de buscar y conservar la puertorriqueñidad.*

3. *Examen de las innovaciones y superaciones en la voz narradora. Este examen tiene por objeto estudiar la técnica narradora del autor para precisar la teoría marquesiana referente a la estratégica disposición del material, así como también la diferenciación de personajes mediante las varias clases de tipografía necesarias para la identificación y para descubrir la libre asociación de las ideas, y la capacidad descriptiva lírica elitista.*

4. *Explicación de la eficacia de los demás recursos preferidos por el autor. Esta explicación tiene por objeto valorar el uso de los símbolos, las imágenes, el dramatismo, la creación de ambientes y atmósferas, las onomatopeyas, el alto y bajo relieve histórico-cultural, las alusiones mitológicas precolombinas, las voces y leyendas indias, el habla popular y jíbara y el habla y la sintaxis cultas, la interrupción como procedimiento estilístico, la caracterización adecuada, y el costumbrismo.*

Los recursos temáticos y retóricos del punto número cuatro se estudian con menos énfasis generalmente, y señalamos su función según sea central o como apoyo o efecto especial.

En el estudio de las dos novelas y de los doce cuentos representativos escogidos al propósito, les aplicamos el método crítico completo y para ello hemos hecho un resumen de las anécdotas de estas obras. En el caso de los otros catorce relatos tratados aquí, sólo hemos expuesto los aspectos de la narrativa del autor menos comentados dentro de las categorías mayores. En vista de que René Marqués no escatima su genio en ninguna obra, nuestra elección de las catorce obras representativas, a las cuales se aplica el método analítico completo, ha sido aleatoria. Opinamos, empero, que la elección comprende bien las diferentes modalidades representadas en el conjunto de la narrativa de René Marqués.

Para analizar cómo se manifiesta la idea del epígrafe en el desarrollo de la narración nos hemos esforzado en aclarar bien la idea en cuestión y a la vez en explicar y valorar la representación literaria que le ha dado el autor. Claro está que esto último abarca un campo mayor, que incluye la técnica narradora de René Marqués.

Veamos este epígrafe: «¡Cuánto duele crecer! ¡Cuán hondo es el dolor de alzarse en puntillas y observar, con temblores de angustia, esa cosa tremenda que es la vida del hombre!» (p. 7). Importa citar también la dedicatoria de la novela: «A mis hijos, Raúl Fernando, Brunilda María y Francisco René, esperanzado de que la lucha por la libertad sea para los de su generación menos angustiada que lo fue para la mía» (p. 5). Esta es una ex-

presión de tristeza y esperanza íntimas y como el epígrafe, encierra una verdad que parece negativa y dura de aprender. En la
novela será Pirulo quien la aprende, Pirulo el personaje que se
concibe como típico, el puertorriqueño que hay en todos los puertorriqueños.

René Marqués apela mucho a los sentidos visual, auditivo
y táctil. Pretende estimular sobre todo el oído. Para disfrutar
plenamente de dichos efectos, los lectores de René Marqués deben estar atentos a la tipografía usada en la impresión de sus
novelas y cuentos. Es un recurso más de los que se vale el
autor para hacer más comprensible su narrativa. Se reprodu-
cen en bastardilla los monólogos interiores. Estos se encierran
entre comillas « » si son citas directas y si son diálogos recordados se separan con guión —. Imposible en una obra como
la presente copiar los textos tal cual son.

I. LA NARRATIVA EXISTENCIALISTA DE TIPO POSITIVO

Parte primera: La víspera del hombre, *obra modelo de los relatos positivos. La concepción epígrafe-narración, eje estructurador de la narrativa marquesiana.*

A continuación resumimos el argumento y la trama de *La víspera del hombre* (Premio de Novela del Ateneo Puertorriqueño, 1958. Premio de Novela Iberoamericana de la Fundación William Faulkner, 1962). El resumen se hace con explicaciones y citas escogidas del texto con ese propósito. Conocemos al Pirulo adolescente desde el punto de vista de la tercera persona omnisciente. Le vemos mirando hacia el mar, contemplando su fuerza por primvera vez, sintiéndose asombrado. El asombro es una emoción que obrará en él durante casi toda la novela. A partir de este momento del primer capítulo hasta el capítulo XV (87 pp. después) no lo veremos más en esa etapa de su vida en ese lugar, recién llegado a Carrizal. Carrizal, desde el capítulo XV, será su casa. Pero antes de llegar allí, la voz naradora, a través de catorce capítulos, va a dejarle pasar la última etapa de su niñez en San Isidro. Es una escena retrospectiva grande: San Isidro, su casa, lugar de su nacimiento, corazón y refugio de su alma infantil. Conocemos a los personajes que forman parte de su vida: su madre Juana, un padrastro rencoroso que apesta siempre a ron, Don Rafa, dueño de San Isidro, doña Irene, esposa de don Rafa, doña Isabel, hija viuda de don Rafa, Raúl, hijo de ésta y nieto por supuesto de don Rafa. El cuadro que se pinta de esta etapa de la vida de Pirulo está formado por los recuerdos. Son recuerdos que la voz narradora nos expone y pertenecen

todos al Pirulo adolescente, quien va rememorando cómo era
San Isidro. Una sola cita basta para describir este cuadro:

> Don Rafa se sentaba en el sillón de mimbre, ponía los pies en la
> baranda del balcón, colocaba el cigarro en la boquilla y encendía
> el fósforo que daba momentáneamente un resplandor fantástico a
> su barba plateada. Las bocanadas de humo darían luego a inter-
> valos, esa luminosidad brumosa con que Pirulo había de recordar
> mejor la cabeza del dueño de San Isidro. Y así permanecían ambos
> inmóviles. Don Rafa en el balcón; Pirulo en el más remoto rincón
> del glacis. Cuando callaba la victrola sólo los separaba la noche.
> No obstante, les unía el parpadear de las estrellas, la voz de mil
> coquíes y el olor del jazminero que se enredaba a los balaustres.
> Pirulo experimentaba entonces la sensación grata y tibia de una
> paz absoluta, como si en esos instantes el universo todo encontrara
> su punto exacto de equilibrio: Don Rafa sentado bajo techo; él
> sentado a la intemperie. Pero allí, a la intemperie, llegaba a él la
> protección de lo que se sabe seguro: Don Rafa, la casa grande
> (p. 12).

Los pensamientos de Pirulo, expuestos así por la descripción,
nos llevan por fin a la finca de la costa que llamaban Carrizal,
y a la casa de Arecibo, que eran para él rivales de San Isidro.
Así se observa que Pirulo es, en sus recuerdos, inocente aún,
pero no exento de algunas dudas sobre su futura seguridad. Se
comenta el color gris de los ojos de Pirulo, pero el porqué de ello
no se explica, sino hasta el capítulo XXXIV, cuando Payo se lo
dice a Pirulo. Los cuadros de costumbres pintados en estos primeros catorce capítulos aumentan mucho el interés hacia una
finca puertorriqueña, evocando su sabor colonial con todo el
pintoresco escenario campestre, descritos hasta los diminu-
tos detalles de las faenas, de los enseres, y de la tropical naturaleza. Se pinta todo con términos auténticos de la región y con
un colorido local completo.

Llega el día en que Pirulo se entera de que don Rafa va a
vender San Isidro. Esto será un trauma para Pirulo, cuyo encantamiento se va a romper. Exclama: «¡Usted no tenía derecho
a vender San Isidro!» (p. 28). Don Rafa le contesta: «Te sobra
razón. Nadie tiene derecho de vender la tierra —y luego, casi
como en susurro—: Pero el hombre no siempre vive de acuerdo al derecho» (p. 29). Ahora Pirulo pasa a otro nivel de vida
más difícil y más complejo. Le molesta mucho que otro ser pue-

da actuar de forma perjudicial sin consultar con los que saldrán perjudicados. Ahora está claro que comienza a sentir la urgencia de la libertad.

En el momento mismo en que pesaba sobre Pirulo la amenaza de su seguridad, entra en Lares con Juana para ir a misa. Lares fue el lugar de una revolución, una guerra contra el Gobierno de España que trató de hacer libre a Puerto Rico. Dicha guerra fracasó. El padrastro, un tipo incapaz de cualquier superación, un tipo del todo negativo, le dice al niño: «En vez de pelear los puertorriqueños gritaron —el padrastro riendo salvajemente—. Por eso lo llaman el Grito de Lares» (p. 36).

En la fiesta dominguera que presencia el niño, la banda tocaba la Borinqueña mientras izaban la bandera pequeña y hablaba el señor moreno que se llamaba Albizu. «Y decía que la guerra ahora era contra los Estados Unidos y que Puerto Rico seguía en guerra por conseguir su libertad» (p. 36).

Pirulo, después de salir de misa y asegurarse que el Sepulcro del pueblo de Lares seguía en su sitio, echó a correr en dirección del río. Aquí vemos el aspecto popular de la religión. Quería llegar al Monte de Guaraguao y si le daba hambre, le pediría algo a la «india» (p. 58) Marcela.

Aquí es donde el lector encuentra la historia de la Poza de la Princesa, poza visitada antes por Pirulo y su amigo Raúl. Se verá después que se incluye para afianzar más la leyenda de Anaiboa y Manicato, la cual, siendo o no realidad histórica (se nombran personajes españoles e indios), tendrá gran interés para Pirulo, que lamentaba no ser indio. Marqués habla de la concha india que usaban los taínos. Los capítulos VII-XI se dedican a esta historia de los indios en el tiempo de la primera invasión, o sea, la colonización española. El resultado de la estancia de Pirulo con Marcela en La Poza es sorprendente; pide a Yuquiyú (Yukiyú) que demustre su fuerza y que destroce a San Isidro. En la caracterización que se desarrollará veremos cómo Pirulo, en comparación con Raúl, se presenta menos pensador, más orientado a los impulsos naturales. Pero Pirulo, al fin y al cabo, cuando termina la novela, va a comenzar su vida de adulto. Al bajar del monte de Guaraguao «El espanto anidó en su corazón. La piedra de rayo cayó de su mano hiriendo la tierra. Y una ráfaga caliente azotó su cuerpo llevándose consigo el terrible demonio que lo había poseído. Pero las palabras estaban pronunciadas» (p. 67). Pirulo había experimentado la fuerza del odio y con la ambivalencia de su alma ingenua bajó al pueblo en carrera frenética con una sola idea: «*Salvar a San Isidro. Salvar a San Isidro. Salvar a San Isidro*» (p. 67).

Llega el temporal y se nos pinta otro cuadro de costumbres isleñas: los preparativos que se hacen en un trance tan difícil. Se han compuesto inclusive refranes al propósito, que quizá rompan con humor sombrío la tragedia de la hondonada:

> —San Felipe se alquiló
> pa barrer a Puerto Rico
> y lo encontró tan chiquito
> que en un día lo acabó (p. 75).

«El encantamiento de San Isidro ya no existía» (p. 75). Todo quedaba en ruinas y Pirulo se decía rumiando: «Me iré de aquí. Me iré lejos» (p. 75). Pirulo se escapa de casa no muchos días después y va a Arecibo en un camioncito con un hombre que comercia en viandas y frutas y que en el viaje le enseña a no confiarse de otros. Pirulo, agradecido porque el hombre le permitió subir, le dice: «Usted es una buena persona» (p. 82). El hombre grita «¡Imbécil! En este mundo no hay buenas personas. Si empiezas a pensar desde ahora que las hay, estás perdido» (p. 83).

Pirulo recibe el punto de referencia de un campesino: el molino rojo que había de descubrir en medio de una mancha verde. Así, pasando de largo Arecibo, se encamina a Carrizal. Al comenzar el primer capítulo vemos a Pirulo en este punto de la historia. «Donde veas el molino de viento colorao, en medio de una mancha verde, ahí es Carrizal había dicho el hombre de la azada» (p. 10). Desde aquí (capítulo XV) Pirulo se mueve en Carrizal no sólo materialmente como en el primer capítulo, sino también mentalmente. «Carrizal era un vínculo entre el pasado conocido y lo insondable del porvenir» (p. 89). El primero a quien conoce es Félix «el Negro» (p. 95). A pesar de que Pirulo se va a sentir bien y alegre por la amistad de Félix, será éste en quien Pirulo tendrá que despertar moralmente y aprender lo difícil que es «crecer» (p. 7). Primero tiene que explicar a su tío Payo por qué se ha venido a

Carrizal. Matilde, esposa de Félix, le da de comer y lo cuida mucho durante su tiempo en Carrizal.

Se encuentra luego con don Rafa, que ahora, lejos de San Isidro, le parece un ser de carne y hueso. Don Rafa pronto averigua con su interrogatorio que Pirulo no quiere depender ya más de nadie y que ha llegado a Carrizal para trabajar. Don Rafa le cuenta la larga historia de su propio tío Francisco Domingo Abreu, que «vino a esta tierra solo, sin una perra chica» (p. 104). Es aquí donde Pirulo empieza a saber más sobre el pasado y ve lo mucho que éste influye sobre los seres. El viejo Abreu, Francisco Domingo, se mencionará con frecuencia, y veremos cómo vive aún en las personas que rodean a Pirulo.

«Lita tenía un traje colorado» (p. 123). Así nos enteramos de lo que ve Pirulo cuando va a la escuela por primera vez. Luego le importarán los ojos negros, el cabello lacio y el rostro color caoba. El patio estaba pintado de amarillo. «La primera impresión —precisa, definida, aislada— era el traje colorado sobre la pared amarilla»(p. 123). Luego se fijará en «la nariz pequeña, los labios finos y cerrados, húmedos de saliva» (p. 123). La imagen que tiene de ella es sensual —«el estremecimiento del cuerpo, del cabello y del traje rojo al brincar la cuica» (p. 123)— y sumamente femenina.

Al optar por no fingir que recitaba *The pledge of Allegiance,* la «Miss» lo manda a la principal, la cual a su vez le pregunta: «¿Eres o no eres ciudadano americano?» «Yo soy de Lares» (p. 127), responde. El episodio acaba cuando la principal lo ataca; puñetazos, halones de pelo, bofetadas, pellizcos y arañazos poniendo «dolor y humillación en todo su cuerpo» (p. 127).

Pirulo logra adquirir una enorme intimidad con el mar que naturalmente representa mundos lejanos y la libertad para él. Juana le manda dinero mensualmente y como es pobre le molesta mucho a Pirulo tener que cooperar en la escuela con la cuota de la Cruz Roja Americana. Un día también tiene que dar una peseta para la viuda de aquel americano a quien un nacionalista había matado de un tiro. Así vemos a Pirulo obligado a hablar inglés (sin querer) y a cooperar económicamente por causas que no le importan. Y sigue mirando con frecuencia el mar con anhelos de libertad. Extraña a San Isidro y hasta a su hermanito, a quien tenía que cuidar antes, y se da ya cuenta de lo difícil que es borrar recuerdos.

Lo primero que le dice Lita es «—tus ojos son más bonitos que los de Raúl» (p. 135) y estas palabras las repite Pirulo. Un día en la escuela, sin avisar, su cuerpo que «de un tiempo a esta parte había comenzado a preocuparle» ... siente un «agudo retortijón» (pp. 134-36) e «instintivamente alza la mano ... Y se trepa al cajón de la letrina. Fue una sola descarga, casi líquida, pero le pareció que se quedaba vacío por dentro» (p. 137). Esto despierta en Pirulo mayor conciencia de su vida y su vitalidad, pero todavía no comprende cómo sus actos afectan a los demás.

La anécdota que sigue se centra en Francisco Domingo Abreu y es narrada desde el punto de vista omnisciente. Lo conocemos como joven, marido, comerciante, administrador de fincas, padre, y hombre enfermo que buscaba placeres amorosos y que dejaba hijos a todo lo largo del litoral norteño, y conocemos a Magdalena, su esposa, que era boricua buena y generosa y que toleraba los defectos de su esposo.

Don Rafa le presta libros a Pirulo, escogiéndolos con cuidado, y lo guía así. El primero es la *Historia de Puerto Rico,* de Salvador Brau. Al visitar a Arecibo con Félix observa de cerca la vida urbana y entre otras cosas conoce sus aspectos deshumanizantes.

Ahora Pirulo, que no es feliz, experimentando aquella nueva actitud siente que la desazón aumenta, urgiéndole a examinar algo oculto en su conciencia: la envidia. Tiene miedo a lo que siente: «De cualquier modo tenía la intuición de que este pecado de la envidia era el más horrible y peligroso de todos» (p. 230).

Es en el desgrane de gandules cuando los ojos de Pirulo vigilan los de Raúl para ver si descubre alguna emoción que le despierte Lita. Matilde se luce refiriendo un cuento, como de costumbre, a todos los concurrentes al desgrane. Raúl, después del desenlace de este cuento, cuando estallan las carcajadas, trata de dominar el tumulto» —ya está. Ya sé. Ya lo sé» (p. 241). Insiste en que la fuente del cuento es *El Decamerón,* detalle que nos permite ver la cultura del joven Raúl. «Lita volvió a mirarle. Y Pirulo descubrió ahora en su mirada algo más preciso que no había percibido antes: admiración» (p. 243). Pirulo piensa: «Tendré que matar a Raúl» (p. 243).

Los dos jóvenes, juntos en la costa, cerca de El Peñón de Abreu, hablan del futuro; Raúl de su aspiración de fama, como político; Pirulo como adepto y ayudante. Pero Pirulo, de improviso, ya no ve más «a Raúl a su lado, sino en los brazos de Lita ... y Pirulo supo que el ruido sordo en su corazón era el batir de los celos» (pp. 255-56). Pirulo por poco hace caer a Raúl en el abismo. Raúl se agarra al borde del peñón y le pregunta «¿Estás loco?» (p. 256). Pirulo se explica gritando, «¡Sólo quise evitar que cayeras! —Y lo creyó al decirlo» (p. 256).

El último episodio de la novela posee una fuerza emotiva tremenda y en él vemos cómo Pirulo se estremece al comprender lo difíciles y trágicas que pueden ser las relaciones humanas. Por ello comienza a orientarse hacia un futuro diferente, más consciente ya de su responsabilidad. Le pregunta a Félix: «¿Qué te pasa?» (p. 262). Y éste contesta: «Me han deshonrao ... Lita está encinta» (p. 262). Pirulo cree que es por él: «Hace tres semanas que estuvimos juntos en la playa» (p. 262). Ve cómo sufre su amigo, Félix. Lita le ha dicho a Félix que el responsable es Raúl. Pirulo no lo cree y hace llamar a Lita, pero ella dice que no fue Pirulo sino Raúl. Para Pirulo este momento es transformador, es el momento en que él toma más conciencia del mundo sentimental y moral que existe en sus congéneres. El autor lo explica así: «Hubiese querido tener lágrimas para llorar el dolor de vivir y crecer. Pero no las tuvo. Y, sin embargo, su corazón lloraba por Félix olvidándose de su propio dolor ... se limpió el alma con una palabra: —Perdón» (pp. 265-66). Estamos ya en la «víspera» del hombre Pirulo.

Félix se interna en el mangle de Carrizal, desesperado, y «todo Carrizal se movilizó para buscar al 'Negro' Félix» (p. 269). Mercedes, enloquecida por el desaparecimiento de su esposo, persigue a Lita. Pirulo la encuentra primero y se esconden. Es de noche, pero de repente Pirulo sabe que Lita se ha ido de su lado. Mercedes la encuentra y la mata a machetazos. Pirulo no experimenta horror sino

un dolor total ... Y la oleada de sollozos, tantos años contenida —toda una vida, en efecto— desbordóse sobre Lita. Y se aferró al cuerpo. Y abrazó en él no sólo a Lita, sino a Juana y Marcela, a Doña Irene y Matilde, a todas las mujeres que había amado en su vida. Y a Doña Isabel, a quien nunca amó. Pero no sólo a ellas sino a Don Rafa también, y al nene (su hermanito), a Raúl y Félix (pp. 279-80).

Don Rafa le dice a Pirulo: « Se quedará, desde luego, en Carrizal ¿y Don Rafa había añadido en tono que quiso ser inconsecuente (hasta jovial quizá)— ¡Ha muerto una época, muchacho!» (p. 281). Al continuar la narración oímos a Payo que le cuenta a Pirulo la historia de Juana y don Rafa, el porqué de los ojos grises. Pirulo, aplastado y paralizado por la verdad, y «por vez primera en su víspera de hombre, se sentía cobarde» (p. 285). Lo que oye, sin embargo, es la voz de Félix que le dice: «¡Vive tú, Pirulo! ¡Vive tú!» (p. 286). «Y aunque siglos de vejez se habían metido, de súbito, en todos los resquicios de su espíritu» (p. 287), Pirulo sabe que «es de por sí misión grande y heroica para el ser que entra, a golpes de dolor, en el reino del Hombre» (p. 287). Y aunque «el abismo se había tragado al sol por el poniente, mañana saldría de nuevo. Por el oriente. Hoy sólo era la víspera. El día sería mañana» (p. 287).

Veamos ahora la estructuración formal de la idea enunciada por el epígrafe. Conviene decir aquí que la primera obra que leyó el investigador de este estudio fue «La hora del dragón», cuento que había incluido Fernando Alegría en su libro *Novelistas contemporáneos hispanoamericanos*. Por algún motivo que a estas alturas ignoramos, no se incluyó el epígrafe que pertenece al cuento. Otra omisión igual ocurrió con el cuento «En la popa hay un cuerpo reclinado», del mismo libro. Los epígrafes son de la Biblia (San Juan, Apocalípsis) y T. S. Eliot, respectivamente.

La idea enunciada en el epígrafe de *La víspera del hombre,* reforzada también por la dedicatoria, es que «duele crecer», que el dolor de que se trata es hondo y que «con temblores de angustia» se observa «esa cosa tremenda que es la vida del hombre».

Las más difíciles etapas de este crecimiento por las que pasa Pirulo y que le causan más angustia se producen cuando se da cuenta de que se va a vender San Isidro, su casa, y que otro ser, más poderoso que él, tiene control en las circunstancias de su vida. De este momento en adelante su deseo de tener más libertad obrará fuertemente en él. El segundo conflicto gira en torno a su identificación con la «india» (p. 57) Marcela. El, con su mente de joven, comienza a conjurar los poderes sobrenaturales de que habla Marcela. Ella conoce la historia del choque de culturas y de las leyendas que se remontan a los tiempos anteriores a la conquista española. Pirulo, sin comprenderse bien todavía, acude al dios Yuquiyú y le encarga la destrucción de San Isidro, porque si él ya no puede disfrutar de la finca, tampoco lo hará ningún otro. Pronto querrá cambiar su petición y salvar a San Isidro, pero ya es demasiado tarde porque llega el temporal.

La fuerza de su propia inseguridad, que se convierte en odio, y que manifiesta después una sensación de ambivalencia, lo deja inquieto. Decide irse de la casa y se va para Carrizal, donde tomará conciencia de lo grande que es el mundo y se sentirá aturdido. Se amaña bien en Carrizal y la vida en esta quinta nueva le gusta, pero tiene que someterse al régimen de la escuela y aquí es donde conocerá a Lita y donde se verá con «la principal» (p. 126) de la escuela que provocará en él una rebelión grande contra un sistema de poder que no puede comprender. No obstante, Pirulo lleva en sí, sin poder definirlo bien, un sentido de nación distinto al que se le exige obedecer en la escuela. Mientras tanto, su amor a Lita toma mayor fuerza, pero sin estar seguro de si ella lo quiere o si prefiere a Raúl. Es la envidia lo que le abruma, le agobia, le lleva al punto de querer matar a su compañero Raúl. Crecer con estos trances se le hace duro, pero parece ir guiado a veces por la providencia.

Estando ya un poco más maduro se le presenta a Pirulo la situación más angustiosa de todas: la preñez de Lita y la consecuente pena que sufre Félix, pena intensa que lleva la deshonra. Pirulo se cree el responsable y aunque Lita dice que no lo es, sufre por Félix, y los lectores sabemos que por primera vez en su vida Pirulo muestra una preocupación sincera por otra persona. Después que mueren Félix y Lita, Pirulo pasa un largo rato contemplando el mar, sabiendo ya que es hijo de Don Rafa.

> El mar ante él ahora, bajo este atardecer sombrío, agitado, inmenso, era espejo de su confusión .... Y el mundo y la vida eran ya una gran desolación .... El problema no era, pues, buscar el

sentido de la vida sino vivirla sin esperanza alguna de encontrar
su sentido (p. 287).

A causa de las explicaciones, de las situaciones y las citas
mismas, nos parece acertado afirmar que el epígrafe de esta
novela enuncia la idea (opinión) del autor y que forma la línea
estructural de *La víspera del hombre*. Insistiremos también en
que la novela, de tipo existencialista, acusa la singular influencia del optimismo del autor. «—saldría de nuevo el sol. Hoy sólo
era la víspera. El día sería mañana» (p. 287). Pirulo, que nos
parece el joven puertorriqueño más universal, se pinta en su
víspera de hombre como materia prima, ya más dispuesto para
el fuego purificador del tiempo y de la civilización en curso. Es
por lo tanto desde nuestro punto de vista, un personaje positivo
para ese mañana. Al mismo tiempo la idea del autor sobre el
carácter de Pirulo es convincente porque va a insistir en que sus
impulsos primitivos que él, poco a poco, irá gobernando, responden también a poderes exteriores. Leemos acerca de «El mar
cómplice que le ofreciera a Lita en la bandeja tersa de la poza
y que excitara la fuerza misteriosa en él» (pp. 285-86). Esto se
refiere al encuentro amoroso de los dos jóvenes cerca de la
costa.

El segundo aspecto de la línea estructural de esta novela
obedece a una sensibilidad sumamente profunda por todo lo puertorriqueño, un gran afán por conservar intacto cualquier valor
auténticamente puertorriqueño. Se relaciona esto, desde luego,
con el patriotismo del autor y con su búsqueda de una identidad
perdurable.

Observamos esta sensibilidad e insistencia en lo que dice el
autor sobre el valor inherente y único de la verdadera cultura y
sobre el modo de vivir de los puertorriqueños. Las siguientes
citas representan, por lo tanto, según afirmamos en nuestra investigación, un afán persistente de identificar valores humanos
puertorriqueños y conservarlos, respondiendo así a su intención
de cumplir con su misión de escritor social. En Pirulo vemos lo
siguiente: «Era siempre preferible andar descalzo» (p. 21). Aquí
lo natural simboliza la libertad. Pirulo se identifica siempre con
el elemento independentista aunque no lo comprende bien: «—Yo
soy de Lares» (p. 27), y se siente vinculado también a Manicato,

el guerrero indio de la leyenda; Raúl era don Rodrigo. Esta historia sirve de apoyo, no sólo en el sentido artístico, sino también en el sentido histórico y político. Más tarde veremos que el valor del viejo Abreu, canario laborioso y colonizador próspero y bueno, se destacará como parte valiosa de la cultura y civilización puertorriqueñas, pero por el momento estas muchas alusiones a una supuesta mitología precolombina tendrán el efecto de hacer creer que el elemento humano original, la población india, poseía una vida ideal, por no decir libre. Se ha referido ya a la «primera invasión» y este tema lo tocará el autor en otras obras con más detenimiento, pero su actitud frente a él no cambiará nada. René Marqués siempre verá el lado negativo así como el positivo de la primera invasión. En cambio, a la segunda invasión le verá sólo el lado negativo, con una sola excepción observable dos veces en *La mirada*. En el Pirulo del final de la novela, vemos el carácter básicamente individualista de un muchacho que probablemente madurará en Arecibo y lo veremos relacionándose con el linaje indio y con el carácter noble de Manicato. El eminente antropólogo Olson, que se dedicó a tipificar las tribus indígenas del Caribe, nos señala que la índole personal de los taínos era dócil. Tal imagen de docilidad se apoya en la ciencia antropológica y los estudiosos de esa materia pueden dirigirse a los ensayos de René Marqués, en algunos de los cuales trata de incitar a sus compatriotas a ser menos dóciles. Esto queda fuera del tema del presente estudio, pero se pregunta uno si no se equivocaría nuestro autor en su opinión al respecto, visto que el mundo de hoy no sólo necesita de libertad, sino también del tranquilidad, y que quizá convenga esperar de los descendientes de los taínos algo más que la lucha partidaria independentista. Estos son problemas difíciles de los cuales no nos ocupamos aquí.

La historia de Manicato y Anaiboa desborda de escenas idealizadas, dando la impresión de que fue aquel Puerto Rico el que debió haber continuado ininterrumpidamente en medio de la naturaleza protectora tropical:

> Entre ausubos gigantes ... la canción eterna del coquí. Allí el amor tenía vuelo de colibrí .... El guerrero espantaba con una rama de caimito los cubanos que encendían fiesta de luces sobre el

cuerpo oscuro de Anaiboa .... Areytos frente al caney, juegos de
batú ... ceremonia de la cojoba ante sagrados cemís; indias tejiendo sus naguas, guayando la yuca, tostando el casabe; .... Sueños lejanos del yucayeque. Nostalgia de la patria chica antes de
llegar el hombre español (pp. 45-47).

Se recuerda que es Marcela quien le narra la historia de Manicato y Anaiboa a Pirulo. Eunice M. Lugo concluye:

> No, there is no separating the story of Manicato and Anaiboa
> from that of Nazario and Marcela, nor have we found any refe-
> rence in available folklore to a Princess Anaiboa. Neither does
> Marqués himself answer our questions. He has called forth a dream-
> like recollection of a person and a tale that meant a great deal
> in the experience of a small boy [1].

En lo que se refiere a la historia antropológica, la misma crítica
cita a Loven: «Nowhere in the writings is any mention made of
the shell trumpet for signalling, such as is used on the continent» [2].
La investigadora Eunice M. Lugo nos explica que: «Marcela her-
self dies in the hurricane, still clutching the 'concha india' on
which she sounded the warning of the dangerously rising river
waters, perhaps for the very peoplle who have helped murder
her husband» [3].

Símbolo nacional para Marqués son los ausubos desde 1955,
cuando se publicó el cuento «Otro día nuestro», y el coquí lo es
para todos los puertorriqueños, como lo será la isla misma por
su aislamiento y soledad: «No naciste para continente. Fuiste
siempre isla. Isla como yo» (cita del cuento «... antiguo» (p. 40).
En esta novela (La víspera...) leemos: «El mar en celo salvaje
que apartaba a la Isla del resto del mundo para a solas mirarla,
y acariciarla, y ultrajarla, y protegerla, y torturarla, y otra vez
besarla» (p. 286).

Esta intensa preocupación por la puertorriqueñidad está patente, por supuesto, en los cuadros de costumbre; por ejemplo

---

[1] EUNICE M. LUGO, «La víspera del hombre. A novel by René Marqués»,
Studies in honor of J. R. Bernardete (New York: Las Américas, 1965),
p. 265.
[2] SVEN LOVEN, citado en EUNICE M. LUGO, «La víspera del hombre.
A novel by René Marqués», p. 265.
[3] EUNICE M. LUGO, p. 248.

en el desgrane: «se empezaba hablando de cualquier cosa ...,
pero a la postre, insensiblemente, la tertulia alcanzaba un nivel
de interés común a todos: el cuento. Narrar un cuento era proe-
za más preciosa que desgranar una fanega de gandules» (pp. 234-35).
Por boca de Matilde escuchamos un cuento verdecito bastante
largo y humorístico, en medio del cual el narrador intercala una
parte de la anécdota mayor sobre la envidia de Pirulo, quien escu-
cha mientras vigila la mirada de Lita. La tensión aumenta así tanto
para el cuento como para el hilo novelesco principal. Las onomatopeyas abundan en esta escena, en «el coquí, en el jardín,
el trrr - trrr del múcaro en el flamboyant, en la sala, el cra - crac
... de las vainas verdes al abrirse ..., el tic, tic del gran reloj
de campana ..., el musical tlic - tlic de la gota de agua cayendo
en la tinaja» (p. 238). Esta preferencia por los vocablos taínos
y por las escenas, leyendas y costumbres isleñas, sirve para
mostrar la sensibilidad del autor por lo puertorriqueño y su
afán de conservarlo.

El tercer recurso que deseamos analizar es la capacidad descriptiva del autor. Las descripciones están siempre cargadas de
emoción y a la vez de una penetrante visión intelectual, intuiti-
va y poética. Este recurso, como los otros que tratamos, manifiesta a veces mayores méritos literarios en otras obras del
autor. Señalamos la descripción siguiente como excelente ejemplo de esta obra modelo. Se toma de la historia del Gran Cacique
(Capítulo VIII):

> El guerrero puso una mano en el hombro desnudo de la amada y
> sintió el ardor aflorar a la piel caoba. Como resina de tabonuco ar-
> dió el deseo en el cuerpo del indio. Supo en aquel instante que era
> también noche de amor. Y la macana de palma de corazo y el
> hacha de piedra quedaron olvidadas sobre el musgo húmedo mien-
> tras la pasión se renovaba con sabor agridulce a fruto de jagua
> ....
> Fueron gemidos, gritos guturales, risas contenidas que acallaron la
> voz del coquí y alejaron el asedio de los cubanos. Luego fue el si-
> lencio. El casi silencio de dos que jadean. Después la modorra que
> aquieta los nervios. Y por fin el sueño que rinde los cuerpos. Bajo
> la media luna se durmió la princesa junto al guerrero exhausto de
> amor (pp. 46-47).

Vemos lo apto que es Marqués para la creación de atmósferas

y ambientes. Las crea con dramatismo y con mucha evocación.
En esta descripción se aprecia también el uso preciso y eficaz
de elementos indígenas, los cuales refuerzan la autentiicdad am-
biental que se pretende.

En *La víspera del hombre* Marqués no logra las grandes superaciones de la voz narradora que se encuentran en algunos
de sus cuentos, en «La hora del dragón», por ejemplo. Sin embargo, las siguientes citas del primero y decimoquinto capítulo
respectivamente muestran la maestría del autor en disponer estratégicamente el material novelesco: «—Donde veas el molino
de viento colorao, en medio de una mancha verde, ahí es Carrizal —había dicho el hombre» (p. 10). «Con las pupilas impregna-
das del paisaje nuevo, Pirulo echó al fin a andar en dirección
al molino de viento» (p. 87). La separación de estas citas se ex-
tiende por setenta y siete páginas y al retomarse el hilo anecdótico se efectúa una gran unidad temática. El siguiente ejemplo
también muestra su capacidad para emplear la voz narradora
con poder nostálgico. La cita refleja pensamientos de Pirulo.

> Atrás había de quedar Carrizal, como un jalón más apuntando al
> pasado. Así lo había prometido ayer a Don Rafa. Iría a vivir con
> la familia en Arecibo. Ya no conduciría más el coche. Conduciría
> a Don Rafa en el auto nuevo —el «Buick» color vino, con relám-
> pagos de plata en el níquel de su proa reluciente. (¡Cuántas, cuán-
> tas novillas sacrificadas para obtener el lujo de la ciega máquina
> moderna!) (p. 281).

Se observa aquí cómo la voz narradora se orienta por una esmerada sintaxis y por un tono poético admirativo (relámpagos, proa,
cuántas). Esta representación literaria de los pensamientos del
personaje central es típica de otros muchos trozos en esta obra,
y a través de toda ella se emite un tono autobiográfico:

> Pirulo is a very real boy (so real, in fact, that we sense immedia-
> tely the autobiographical influence), and the outstanding fea-
> ture of the story is the development of the personality of this boy
> under its environmental buffetings [4].

Al examinar bien la vida y la mentalidad de Pirulo el lector se

---

[4] *Ibid.*, p. 245.

pregunta: ¿Estos pensamientos corresponden al joven que se describe? José Emilio González dice al respecto:

> muchas veces René Marqués nos hace ver las cosas desde el punto de vista del niño, y con mucha suerte..., pero en otras, superpone su propio punto de vista de autor al del niño; como ocurre, por ejemplo en la visita que Pirulo y Félix el 'Negro' hacen a Arecibo [5].

Nosotros citamos un pasaje de la parte en cuestión:

> Pero aquí, en la estrechez urbana, no había fusión de la naturaleza y el hombre. Quizás porque aquí la naturaleza existía sólo como expresión humana, y no por sí misma. Quizá porque la ciudad, hechura del hombre, sacaba a la superficie todo lo sucio, lo bajo, lo miserable de su hacedor. En Arecibo la pobreza del jíbaro se mostraba desnuda: la anemia en los rostros, las ropas raídas, las manos curtidas, los pies sin zapatos. En Carrizal un pie descalzo hundiéndose en la arena era una fusión natural e íntima del hombre y la tierra. Aquí un pie descalzo en la calle era algo monstruoso que avergonzaba al hombre y dejaba impasible a la tierra. Aquí la voz adquiría un tono irritado que fácilmente se prestaba a la imprecación o la blasfemia. Aquí las bestias hedían; sus heces no eran estiércol para abonar la tierra, sino pura mierda ofendiendo la vista y el olfato (p. 202).

Bien puede ser que a Pirulo se le ocurran las ideas anteriores, pero nos parece que el lenguaje no las representa adecuadamente, que es demasiado culto para el personaje. Sus pensamientos a veces se nos presentan en descripción lírica y con sintaxis y léxico rebuscados; por ejemplo: «Le asombraba ver las palmas de cocos, rarezas aisladas en la montaña, multiplicadas aquí por centenares en hileras meticulosas» (p. 88). Claro está que el narrador tiene todo derecho a expresarse así, y no le resta valor a la descripción siempre que los lectores no la veamos como proyecciones lingüísticas exactas del personaje. Los lectores también se preguntarán a veces si Pirulo es tan reflexivo, tan impresionable, como lo pinta el narrador.

Abundan, en cambio, trocitos como el siguiente, que se adecuan perfectamente al carácter de Pirulo: «—¡Madre de Dios, qué solo estoy!» (p. 9). José Emilio González observa que

---

[5] José Emilio González, *El Mundo*, 26 de Dic., 1959, p. 19.

en muchas ocasiones René Marqués intuye adecuadamente el orbe infantil. Esto puede verificarse, por ejemplo, cuando describe las impresiones de Pirulo al contemplar por primera vez los llanos de Carrizal; 'La distancia en el llano le aturdía. Todo era uniforme, abierto, claro, libre. Pirulo miraba estático aquel paisaje y preguntábase cómo viviría la gente cara al cielo; sin el amparo de la montaña, sin la protección de los guamás, sin la intimidad del cafetal. Era casi como estar desnudo ante Dios' .... Preguntábase de dónde iba a sacar él fuerzas para habitar en ese espacio tan libre, en esa tierra tan ancha ... Los adjetivos —'uniforme', 'abierto', 'claro', 'libre', 'ancha'— al mismo tiempo que califican objetivamente la situación física de la planicie, nos dan algo también de cómo un muchachuelo interioriza aquellos mensajes. Hay una muy perceptiva gradación de sentires: aturdimiento, éxtasis, miedo, sensación de libertad [6].

Estos trozos indican los defectos y méritos que tiene el punto de vista, a saber, la falta de correspondencia (propiedad) entre lo expresado y el personaje que conocemos, la propiedad o adecuación entre estos dos. «Las reflexiones y comentarios del autor —interesantes siempre— no pueden sustituir la vida de su personaje» [7]. Lo que pasa a veces, incluso, en un comentario adecuado, es que la tendencia del autor a evitar la sintaxis coloquial y normal le resta valor al punto de vista auténtico o propio, pero le da al mismo tiempo un cierto valor literario o cuando menos más culto, por ejemplo, la simple posposición del pronombre átono: «preguntábase cómo ... preguntábase de dónde.» (p. 10). En general, las penetraciones en el alma de Pirulo están bien logradas, y el papel de la imaginación del niño está muy resaltado, lo cual naturalmente podría mover la mano del autor hacia lo poético.

Las grandes superaciones en la voz narradora se observan únicamente en algunos de sus cuentos, pero esta obra modelo también cuenta con algunos logros artísticos al respecto. Un ejemplo es el diálogo final, cuando Payo le explica a Pirulo que éste es hijo de Don Rafa:

> Después naciste tú, es lo que quería decir. Después nací —y casi le dio risa que su voz sonora como un eco de la pueril observación de Payo. —*Tenía que nacer yo, para estar vivo ahora...*

---

[6] *Ibid.*
[7] *Ibid.*

... y oírte, y empezar a odiarte ay ...

—Don Rafa...

Súfrelo tú también, Payo, súfrelo... (pp. 283-84).

Los subrayados nuestros indican, por supuesto, los pensamientos no expresados de Pirulo, adolescente aún, que muy pronto entrará en «el reino del Hombre» (p. 287).

Para ilustrar el buen manejo que tiene el autor del piso histórico-cultural como alto relieve, extraemos estas citas que se relacionan con los tiempos en que llegó a Puerto Rico don Francisco Abreu (los Abreu son los abuelos del autor):

Atrás para siempre el valle hermoso de la Orotava, y los pastores rubios, y las cabreras gordas, y las tiendas inglesas, y las grandes higueras, y los bazares árabes, y los verdes viñedos, y el ardido Levante, y las taifas alegres, los turrones de miel, y el vino de Las Palmas. Atrás, para siempre, quedaban Islas Canarias. Y delante de él un futuro único: América .... Por ello, para pasmo de peones blancos y esclavos libertos, desde Santo Tomás y Martinica empezaron a llegar encargos descabellados: sábanas de Holanda, la vajilla inglesa, las sedas chinas, los licores de Francia, los cigarros de Cuba. Cosas gratas para adornar la casa grande y para dar gusto a sus habitantes (pp. 153-54).

En *La víspera del hombre* vemos que se presenta con gran intensidad la idea enunciada en el epígrafe, «duele crecer» (p. 7), y la preocupación del autor por el aislamiento de su isla frente al mar, realidad desmesurada, y por el angustioso desarrollo de Pirulo.

Pirulo tiene el presentimiento de un vínculo misterioso con don Rafa y si está con él disfruta de 'unidad interior' porque Don Rafa era para él 'la encarnación de la máxima nobleza en el hombre', la imagen ideal de padre y hasta se atreve también a expresarle el resentimiento que le guarda por haberle causado tan grave mal [8].

Otra idea cuya intensidad es siempre observable es la importancia que le da Marqués a lo puertorriqueño. Por último, se

---

[8] *Ibid.*

observa el afán de conservar intactos los elementos indígenas y españoles: la bondad y la libertad de aquéllos y la nobleza, laboriosidad y fuerza socializadora de éstos. El antiamericanismo se presenta con la primera palabra en inglés que ve Pirulo, «*Danger - Peligro*» (p. 115), por los carriles de acero en un letrero bilingüe. Tenemos la impresión de que ese peligro se refiere a algo mayor que el tren que pasa, algo que es una fuerza amenazante, —¿la presencia de algún invasor? Se recuerda que en la escuela Pirulo «había hecho grandes esfuerzos por aguzar el oído para ver sí, con sus nociones elementales del inglés, podía pescar algo de aquella mojiganga inexplicable» (p. 126). La idea u opinión del autor referente a la presencia americana se expresa sobre todo cuando la principal le pregunta: «¿Eres o no eres ciudadano americano?» (p. 129). Y él le contesta: «Yo soy de Lares» (p. 127). Al ataque que le hizo la principal siguió el insulto «¡Jíbaro bruto de la montaña tenías que ser! ¿Pero no sabes, animal, que todos somos americanos?» (p. 127). No creemos desacertado suponer que la actitud agresiva de esta mujer nace de un resentimiento hondo que suele producirse en el que se deja coaccionar y arrastrar, no estando de acuerdo con lo que hace. Estas ideas son las que constituyen el núcleo al cual nos referimos en la introducción de este estudio.

En lo que se refiere al lugar y significado de Lares y los problemas que tuvo Puerto Rico con el gobierno de España recomendamos el libro de Lidio Cruz Monclova, *El Grito de Lares* [9].

Para resumir nuestro estudio de esta novela (modelo para nosotros) volvemos a citar al puertorriqueño José Emilio González:

> Algunos amigos míos han apuntado su discrepancia en cuanto ponen en duda que se trate de una verdadera novela. Más bien les parece *La víspera del hombre* un cuento largo. Acusan a la obra de no ofrecer suficiente 'mundo'. Creo que están pensando en los grandes modelos del género: *Don Quijote de la Mancha, los hermanos Karamazov, David Copperfield,* etc. No debemos olvidar que hay otro tipo de novela, de aspiraciones más modestas, donde el autor sólo pretende dar los momentos más significativos de la

---

[9] LIDIO CRUZ MONCLAVA, *El Grito de Lares* (San Juan: Instituto de Cultura Puertorriqueña, 1968).

vida de uno o dos personajes, con vislumbres aquí o allá del contexto social donde se desarrollan. Me refiero a novelas como *Las cuitas de Werther, Don Segundo Sombra, El Audaz* de Galdós, etc. *La víspera del hombre* se sitúa, a mi juicio, en esta especie [10].

Para concluir nuestra valoración de *La víspera del hombre* a continuación reproducimos el juicio crítico firmados por Adelaida Lugo Suárez, Ricardo Gullón y Emilio S. Belaval, extraído del laudo del certamen de novela del Ateneo Puertorriqueño para el festival de Navidad (1958):

> El arte novelesco híbrido, plural, complejo cuadro de humanas posibilidades, se cuaja con palabras sólidamente motivadas en la idea, la emoción, la experiencia, la fantasía animada de existencia... —desde el título, la técnica, el tema central, los personajes, el estilo, los motivos de espacio, y de tiempo, las circunstancias interiores de la acción, la delineación psicológica del ambiente, los hechos externos de la trama— debe producir el grandioso efecto de pirámide, altura física donde se pueden llenar de aire inteligiblemente humano, los pulmones de cualquier ser humano .... *La víspera del hombre* respira ese aire de totalidad bien organizada, resultado de la labor de un escritor hábil, verazmente enfrascado en su misión creadora. El título de *La víspera del hombre* comulga felizmente con los hechos interiores y exteriores de la acción, con el desarrollo noblemente artístico, de Pirulo, el personaje central y tiene fecunda y leal consecuencia en el tema filosófico de la vida-tiempo como proceso cotidiano para crecer .... Cuanto le ocurre en la obra es la cadena de vivencias que le dan estatura de hombre, joven dispuesto a enfrentarse al otro día a su destino y, por esto, la obra termina profétiamente abriéndolo como personaje al porvenir de nuevas páginas, al día que sería mañana .... En lo técnico, en lo estilístico, la obra alcanza también una elevada estructura moderna que aprovecha múltiples recursos .... La obra deja, pues, una sensación de cosa tallada por completo. Y en su misma armonía de conjunto reside su premio [11].

---

[10] José Emilio González, p. 19.
[11] Lugo Suárez, Ricardo Gullón y Emilio S. Belaval, *El Mundo*, 14 de marzo de 1959, p. 26.

Parte segunda: «*Tres hombres junto al río*», *la primera invasión; la mentalidad india y el choque de culturas; el tema precolombino, recurso nacionalizante.*

En «Tres hombres junto al río», René Marqués logra evocar el momento en que los indígenas puertorriqueños, con su mentalidad precolombina, ven la necesidad de dudar de los dioses nuevos. Es el momento de la primera invasión. El autor ahonda mucho en la psicología de un indio que junto con dos compañeros, también indios, mata a un español para ver si resucita, según afirma el «consejero blanco» (p. 22), cura que les enseña el cristianismo. Como el español no resucita, el indio, después de tres días de espera, puede romper el encanto de la religión nueva y a la vez las cadenas de la esclavitud. Este relato lo situamos bajo el modelo *La víspera del hombre*. Es «cuasi-existencialista». Protesta enfáticamente contra el régimen político-religioso de la primera invasión. El hecho de que tal rebelión sucediera poco después de la conquista, cuando los indígenas no comprendían aún el nuevo orden político, pero las cadenas de éste sí, nos permite ubicar el cuento bajo el modelo positivo (este proceder se explica en el capítulo III, en el cual aclaramos el criterio literario y no el jurídico moderno, para tal categorización). El desenlace responde a una actitud optimista.

Enunciando la idea que se presenta en el cuento, René Marqués mismo inventa el epígrafe: «*Mataréis al Dios del Miedo, y sólo entonces seréis libres*». En otra antología, el autor dice que el epígrafe es una «profecía de Bayoán» [12].

Ha llegado la civilización española a la isla de los taínos y desde ese momento todo el orden natural y cíclico de la vida buena ha sido convertido en caos. El indio protagonista decide poner a prueba lo de la resurrección que se le ha explicado, porque le parece que los dioses nuevos «sonreían cuando odiaban» (p. 21) y que:

Tras de su amistad se agazapaba la muerte. Hablaban del amor

---

[12] *Ocho Cuentos de Puerto Rico* (Río Piedras: Instituto de Cultura Puertorriqueña, núm. 4, Dic., 1966), p. 33.

y esclavizaban al hombre. Tenían una religión de caridad y perdón, y flagelaban las espaldas de aquellos que deseaban servirles libremente. Decían llevar en sí la humildad del niño misterioso nacido en un pesebre, y pisoteaban con furiosa soberbia los rostros de los vencidos. Eran tan feroces como los caribes .... Eran dioses. *Mis amigos son dioses,* había dicho Agueybana el Viejo (pp. 21-22).

El indio lleva a un blanco al río, y con la ayuda de dos compañeros lo ahoga. Al comenzar el cuento observamos (con los tres hombres) la forma en que una hormiga, y luego muchas, suben por el lóbulo del muerto y entran en su oído. Los tres, como tienen miedo, sólo observan; no hablan, no ríen, no tocan nada. Pasamos tres días así con el muerto, las hormigas, los tres indios y sobre todo con el miedo del indio principal. Mediante éste y la voz narradora de su subconsciente nos enteramos de la situación. La anécdota, pues, no sigue una forma lineal. Después de tres días se fija el indio en que el muerto no es un dios y por lo tanto él piensa, «*Será libre mi pueblo. Será libre ....* Y acercando sus labios al fotuto, echó al silencio de la noche el ronco sonido prolongado de su triunfo» (p. 25). Así tardó tres días en matar «al Dios del Miedo» (p. 19) y esta espera le fue difícil. En el pasaje que sigue conocemos la emoción tan grande del miedo que el indio tiene que matar:

... y dejó escurrir su mirada sobre el cuerpo tendido junto al río. Sus ojos se detuvieron en el vientre. Estaba horriblemente hinchado. La presión había desgarrado las ropas y un trazo de piel quedaba al descubierto. Pensó que aquella carne era tan blanca como la pulpa de guamá. Pero la imagen le produjo una sensación de náusea. Como si hubiese inhalado la primera bocanada de humo sagrado en el ritual embriagante de la cojoba. Y, sin embargo, no podía apartar los ojos de aquella protuberancia que tenía la forma mística de la Gran Montaña. Y a la luz crepuscular le pareció que el vientre crecía ante sus ojos. Monstruosamente creciendo, amenazador, ocupando el claro junto al río, invadiendo la espesura, creciendo siempre, extendiéndose por la tierra, destruyendo, aplastando, arrollando los valles, absorbiendo dentro de sí los más altos picos, extinguiendo implacable y para siempre la vida (p. 21).

Este miedo es lo que le tiene preso, produciendo en su imaginación de contornos primitivos las asombrosas visiones y monstruosas sensaciones que él tiene que vencer, las cuales son representaciones del Dios del Miedo que tiene que matar.

Tarea dura para el autor sería retratar con fidelidad el modo de pensar taíno. La voz narradora omnisciente nos da los pensamientos siguientes, que deben representar este modo de pensar respecto a la religión cristiana:

> Y allá, en lo alto invisible llamado Cielo, donde habitaba el dios supremo de los extraños seres, todos, sin duda, sería amarillo. Raro, inexplicable dios supremo, que se hizo hombre, y habitó entre los hombres, y por éstos fue sacrificado (p. 22).

¿Corresponde o no esta libre asociación de ideas al modo primitivo de razonar? El lenguaje indio que a veces se emplea refuerza la autenticidad de la descripción, pero aun así, y por poéticas que sean algunas palabras, nos parece que carecen de elementos sintácticos y de la particularidad psicológica que caracterizan la forma primitiva de pensar tal como la imitan nuestros autores de la tendencia indigenista como José María Arguedas o los del realismo mágico como Juan Rulfo o Miguel Ángel Asturias, por ejemplo.

Nos fijamos, por otra parte, en que los factores exteriores descritos por el autor sí tendrían que impresionar mucho a los taínos: el color blanco de los españoles y el fuego (amarillo) de sus armas. El muerto tenía la carne «tan blanca como la pulpa del guamá» (p. 21), y se habla de «ese color absurdo del casabe» (p. 20). También sentimos la excitación y el dramatismo de la escena junto al río, que en parte se describe de la manera siguiente:

> Bajó la vista y observó la marcha implacable de las hormigas. Ya no subían por la ruta inicial del lóbulo. Habían asaltado la oreja por todos los flancos y avanzaban en masa, atropelladamente, con una prisa desconcertante, como si en el interior del hombre se celebrase una gran guasábara (pp. 23-24).

En el cuento «Dos vueltas de llave y un arcángel» la muchacha de trece años es seducida bajo el tamarindo y se describe el sol «derretido en estrellas entre las hojas ... entre las ramas de majagua; ... blanco en ocasiones como la pulpa del guamá; brillante, reluciente, como la Custodia en el altar» (p. 60). Estas comparaciones sorprenden por la mezcla de elementos naturales de nombres precolombinos, con el elemento cristiano. Vemos que la comparación «como la pulpa del guamá» ha sido un recurso más de los que el autor repite mucho en sus obras y que quizá le reste valor a su narrativa. Además representa otro tropo retórico de los que van orientando el contenido de esta narrativa. El tamarindo también llegará a representar lo erótico en *La mirada*. Así vemos que el realismo marquesiano tiende mucho a un realismo figurado que irá haciéndose exclusivo. Las referencias al casabe, al guamá, a la guasábara, por su origen y uso regional, por su asociación con los tiempos precolombinos, adquieren un tono exótico —sobre todo para los lectores fuera de Puerto Rico, y el efecto de los indigenismos es nacionalizante. Y si el solo tema indio lo es, lo es más el vocabulario autóctono que se repite.

«Tres hombres junto al río» sigue una estructura circular (como «Dos vueltas de llave y un arcángel»), pero la espera de los indios, descrita al principio, es interrumpida por episodios, diálogos recordados y observaciones de la voz omnisciente, de forma tal que logra detener mucho el tiempo y crear una fuerte tensión. Es por la espera simbólica que este relato nos parece cuasi-existencialista. La anécdota de este cuento, además, resulta fácil de imaginarse, y consideramos, quizá por lo mismo, que es una representación literaria dramática que puede compararse favorablemente con «Ese mosaico fresco sobre aquel mosaico antiguo» y con «Purificación en la calle del Cristo».

Naturalmente, vemos también el afán de nuestro autor por denunciar ciertas injusticias de la conquista y por conservar intacta cualquier característica meritoria del pueblo precolombino que haya sido postergada u olvidada en el transcurrir de los siglos. Nos referimos particularmente a la prueba que hacen con el muerto los tres hombres junto al río. Estos emplean su inteligencia para librarse del régimen nuevo cuya doctrina los tiene embelesados, pero cuyo poder consiguen romper. Todo ello es prueba de la sensibilidad del autor hacia lo que es o pueda ser cualquier valor o atributo puertorriqueño. Nos parece acertada la siguiente interpretación. «La paciente espera del hombre ante el cadáver, es simbólica de las esperanzas de autonomía del pueblo puertorriqueño» [13].

Parte tercera: «Otro día nuestro», la segunda invasión y el alto relieve histórico-cultural; el heroísmo existencial puertorriqueño, un personaje modelo; anglicismos y casticismos, intención y efectos.

«Otro día nuestro» apareció por primera vez en 1955, incluido en el libro del mismo título. René Marqués nos dice:

> con este libro se incorpora a la narrativa puertorriqueña contemporánea el tema nacionalista —también tratado por el autor en teatro con su *Palm Sunday* (1959)—, se reitera la inquietud metafísica introducida por 'El miedo', y se aborda por primera vez y con mordacidad quevedesca, en 'El juramento', la nueva doctrina jurídica de 'culpabilidad por asociación' [14].

En el cuento «Otro día nuestro» se reconoce a la figura histórica de don Pedro Albizu Campos, y es en el cuento «La muerte» (1976) donde se trata «la masacre de Ponce en 1937, y también en el teatro, con su obra en inglés *Palm Sunday (Domingo de Ramos)*, estrenada en ... 1956» [15]. Lacomba nos dice que la obra teatral *La muerte no entrará en palacio* (1959) no había sido estrenada en Puerto Rico para abril de 1975, cuando hizo su reseña crítica de *Inmersos en el silencio*. Por lo tanto, y por no encontrar datos contradictorios, conviene respetar lo dicho por el autor sobre el tema nacionalista. Hemos reproducido abajo la dedicatoria y el epígrafe respectivamente que lleva el libro *En una ciudad llamada San Juan* (1970), ya que los dos figuran fuertemente en casi todos los relatos contenidos en él:

«A San Juan, ciudad sitiada de América» R. M.

---

[13] BETTY RITA GÓMEZ-LANCE, «Los cuentos de René Marqués», *Revista Bimestral de la Universidad de El Salvador*, marzo-abril, 1965, Vol. XC, núm. 2, pp. 89-108.

[14] RENÉ MARQUÉS, *Cuentos puertorriqueños de hoy*, 5ta ed. (Río Piedras: Editorial Cultural, Inc., 1975), p. 106.

[15] José M. LACOMBA, citado en *Inmersos en el silencio*, de René Marqués (Río Piedras: Editorial Antillana, 1976), p. 17.

Todo está en llamas: los ojos y los sentidos todos están en llamas; encendidos por el fuego del amor, por el fuego del odio, por el fuego del deslumbramiento; encendidos por el nacer y el envejecer y el morir, por el dolor y el lamento, por la angustia y el sufrimiento y la desesperación. El mundo todo está en llamas, el mundo todo se estremece.

Buda (Sermón del Fuego).

El epígrafe de «Otro día nuestro» encierra el grano ideológico del cuento. Es el siguiente, «... sin otra luz ni guía, sino la que en el corazón ardía —San Juan de la Cruz» (p. 43).

Esta idea del epígrafe tiene su cabal representación en el personaje central del relato. El desarrollo de este personaje se realiza poco a poco (es largo el cuento) mediante la situación que se nos presenta y nos aclara con una magnífica disposición estratégica de los datos referentes a dicho personaje, datos que nos aporta la voz narradora omnisciente, la cual nos va entregando recuerdos, descripciones, diálogos y un fluir de la conciencia lleno de citas bíblicas parafraseadas. El autor ha tenido que valerse otra vez de signos tipográficos diferentes, tal como lo hace en «La hora del dragón», cuento en que estudiamos detenidamente la técnica narradora del autor.

El argumento de «Otro día nuestro», resumido, es el siguiente: Un hombre viejo está detenido esperando un proceso que seguramente, según cree él, lo llevará a la cárcel otra vez, todo esto porque ha estado asociado activamente con la causa independentista. Comienza, como todos estos cuento, *in medias res*. Al viejo lo están vigilando unos jóvenes, puertorriqueños como él. Estos lo tratan bien, le dan de comer y le saludan todos los días. Su hijo está exiliado en el extranjero, su esposa ha tenido que irse también y a Juan, un fiel amigo que lo visitaba antes, se le ha prohibido ya tal privilegio. Es un hombre bueno en el mejor sentido de la palabra, generoso en su forma de pensar, noble y limpio, y aunque muy patriota se conduce con respeto y hasta con verdadera bondad hacia sus captores. Al final del cuento, después de sufrir una soledad intensa y una desesperación casi completa, se resigna a esperar la muerte consolándose con una cita bíblica: «bástale a cada día su propio afán» (p. 58). La resignación, empero, de este protagonista es noble.

La idea enunciada en el epígrafe revela el carácter esencial del personaje central, quien se deja guiar por la única luz que posee: la fe, y el amor que siente por su país, por su patria. Este amor se compone de una visión ideal de su isla, de su tierra, y de una identiifcación sentimental absoluta con todo lo puertorriqueño. Al personaje sólo lo conocemos por el nombre de «maestro» (p. 47) que le es dado por otros personajes de menos importancia en el cuento. Es un hombre viejo lleno de gratitud y de respeto hacia Dios y hacia los hombres y tiene una apreciación generosa de los colonizadores españoles, que según él «Construían para la eternidad» (p. 43).

Se aprecia aquí cómo el tiempo comienza a roerle el ánimo cuando él deja de detenerlo con sus recuerdos, que poco a poco se le escapan, con sus lecturas repetidas ya mil veces, con las visitas de Juan, quien le «traía noticias, voces amigas, mensajes de aliento, datos valiosos»(p. 50). Y un miedo metafísico le va «enfriando el corazón» (p. 54). A pesar de estas y otras muchas desilusiones él sigue pensando en su destino como héroe, y en el lado menos ilustre de éste, al repetir «mentalmente las palabras del Hijo: En tus manos encomiendo mi espíritu» (p. 53).

Lo esencial del epígrafe, como lo vemos aplicado al personaje, es que hay una luz que arde en el corazón. Este viejo se contrasta fácilmente con los personajes de «El miedo» y «la muerte». Claro está que sólo parece consolarse a cada paso con palabras del Nuevo Testamento, pero a veces las cambia de modo tal que su significado es distinto. Por ejemplo, «¡Oh, qué angosta es la puerta y cuán estrecha la senda que conduce a la muerte!» (p. 58.) Este cambio muestra la capacidad intelectual del personaje y manifiesta el deseo que tiene de morir. También dice: «¡Y qué difícil morir! ¡Qué difícil!» (p. 58).

Mientras se consuela con los consejos bíblicos, no se engaña. Ha sido heroico en su vida, sacudiendo «brutalmente con la violencia y el odio a un mundo calladamente triste, resignadamente dócil. Había querido revivir un mundo de sueños sublimes e ideales heroicos» (p. 54). Busca una vida dignificada en la lucha por la independencia. Una cita bíblica repetida indica que es un personaje que se asemeja a Cristo por la oración: «En tus manos encomiendo mi espíritu» (p. 55).

Un día

tomó una decisión brusca. Cogió el bastón con empuñadura de plata ... y se puso el viejo sombrero de fieltro negro .... Echó a andar calle abajo .... Gritarían: '¡Alto!' El fingiría no oír la orden. 'Ojalá que su puntería sea buena'. Por suerte la calle estaba desierta. No habría víctimas inocentes. Por vez primera en su vida era su propia sangre la que contaba .... Y vino a su mente el recuerdo del hijo en exilio. 'Se sentirá orgulloso', pensó sonriendo .... Y pensó en Juan. 'Juan, mi fiel amigo, estaremos juntos' .... Luego, una voz rompió la solemnidad postrera: —¡Maestro!— .... Buscó ansioso los ojos del teniente, y se estremeció al ver en ellos una angustiada súplica .... Viejo y cansado, empequeñecióse súbitamente junto a la figura atlética del teniente. —¿Desea usted algo? —Deseo *La muerte*— pensó. Pero no lo dijo (pp. 54-56).

Muestra así el personaje su capacidad creadora de adaptar las citas y respuestas más convencionales a su situación inmediata, siendo honrado consigo mismo.

El epígrafe que habla de la luz que «en el corazón ardía» se explica en estas acciones nobles, en el carácter digno y recto del personaje. Se mantiene respetuoso al teniente que estaba encomendado de «la custodia de un anciano» (p. 56). Pensaba incluso en la seguiridad de otros, deseando evitar que hubiera víctimas inocentes. A pesar de su desinterés, desea morir como mártir y le da pena que quizá «el joven en su saludo matinal y Juan en sus diarias visitas y el teniente atlético hayan sentido lástima del anciano en desgracia» «p. 56). Y dentro de sí exclama: «Oh, no, Dios, aparta de mí este último cáliz» (p. 56).

El contraste entre los personajes de «El miedo» y «La muerte» y este viejo de «Otro día nuestro» es que sí arde en el último una luz que hemos podido definir. El miedo metafísico del viejo se identifica con su petición: «Dios, Dios mío, dame la muerte» (p. 54). Y con una exclamación intensa:

> —*¡Yo no pertenezco a esta edad en que vivo!* .... ¡Vivía una época que no *era la suya!* .... *Sembrarás y no segarás; pisarás la uva y no beberás el vino.* El pasado vivía en él. ¿Para qué la vida? Y, sin embargo, la muerte no acudía a su llamada (p. 54).

El conflicto del personaje nace a consecuencia de que sus captores eran «demasiado civilizados para creer en la última pena»

(p. 54) y él la necesitaba para cumplir con las exigencias de su código de vida. De otra parte, no había entre los que le rodeaban ahora quien supiera indicarle el camino del tiempo nuevo, del régimen de guerra moderno. Lo que tiene en común esta obra con otras muchas de *En una ciudad llamada San Juan* es el énfasis que para algunos críticos hace protagonista al tiempo mismo. Vivía solo y «sin otra luz ni guía, sino la que en el corazón ardía» (p. 43). Notamos que esa luz especial es la del heroísmo noble, la fe, el amor patrio, el respeto por sus coterráneos y la inmensa sentimentalidad que el protagonista tiene por lo puertorriqueño.

La sensibilidad y simpatía del autor por lo puertorriqueño y la antipatía que tiene por la presencia de lo estadounidense se observan en los elementos simbólicos: el personaje en cuestión aprecia mucho «las vigas de ausubo» (p. 43) y lo primero que hace en el cuento es contemplarlas y pensar en su edad y asociarlas con «los bosques vírgenes de las montañas isleñas» (p. 43), y las considera «la historia toda de la nación en ciernes» (p. 43). Más adelante habla del Crucificado labrado para él de la «Madera de mi tierra» (p. 44), por «Manos de mis hermanos» (p. 44). Se hablará también de «centenarios adoquines» (p. 45) y del «velador de caoba» (p. 45) y volverá el personaje a referirse a «los ausubos del techo» (p. 45) y de cómo los colonos «construían para la eternidad» (p. 45) y de «manos campesinas» (p. 45) y «manos hermanas» (p. 45) y de la «Madera de mi tierra» (p. 45). Betty Gómez-Lance nos indica que el protagonista es «prisionero político en su propia casa» [16], lo cual nos parece acertado y lo repetimos porque no todo lo que ocurre en este cuento se interpreta con facilidad por los lectores. Importa por lo tanto este detalle para comprender el vínculo afectivo entre el personaje y su casa.

Las notas más pronunciadas del sentir antiamericano describen «una larga y antiestética torre de acero que se elevaba desafiante, dominando el contorno de los edificios centenarios .... 'La torre de la estación naval' .... Aquel artefacto hostil» (pp. 46-47). Los reflejos de la torre eran «hirientes» (p. 47). En el horizonte y medio ambiente tan bien creados por Marqués observa-

---

[16] BETTY RITA GÓMEZ-LANCE, p. 104.

mos la invasión de la civilización occidental: «Un rugir de motores. Un chirriar de engranajes y poleas recias. Un crepitar metálico de tambores monstruosos» (p. 45). Está bien lograda la aliteración con *t* y *r*. El rascacielos del banco extranjero, arrojando su sombra amenazadora sobre las dóciles casas coloniales» (p. 47). Y para colmar la fea imagen del ambiente, Marqués pronuncia un juicio mordaz acerca del carácter estéril del invasor: «Las líneas frías y modernas del Hotel Metropolitano, donde rubios turistas dormían la borrachera de su última imbecilidad» (p. 47).

El énfasis que se pone en el amor del personaje por «la bandera, doblada cuidadosamente» (p. 50), de «paño tricolor» (p. 50), que sólo tiene una estrella, y el gran interés que siente por «el escudo de la isla angustiada» (p. 50) nos ofrece una clara visión poética de los conocimientos que tiene el personaje de la significación   de los símbolos históricos puertorriqueños.

En «Otro día nuestro» la voz narradora alcanza una notable superación estilística. Lo particular de la superación es el anonimato de las voces que hablan. Se nos presentan éstas, una por una, sin que el autor nos diga de quiénes son. Sólo en la medida en que se desarrollan el argumento, los monólogos interiores y tres pequeños diálogos (uno que resulta raro porque el viejo no le contesta al teniente) se va dando cuenta el lector de que las voces son 1) de un amigo y simpatizador independentista, 2) de un vecino joven que no se identifica, 3) del teniente atlético, 4) de su esposa, 5) de la muchedumbre enemiga de su causa, y 6) de sí mismo. Pero la superación consiste también en otro recurso más, empleado tan exquisitamente como en «La hora del dragón». Es la estratégica disposición de las voces que acabamos de identificar. Representan recuerdos, o son citas bíblicas que en alguna parte y en algún tiempo se le grabaron, y es su propia voz que expresa sus pensamientos sin decirlos en voz alta, y por fin son palabras que sí se dicen en voz alta. Todas las voces están bien dispuestas en el cuento y al lector le toca identificarlas con los personajes en cuestión.

La caracterización del personaje es fuerte, bien delineada, y no es nada convencional. Todo lo contrario, consideramos que es verosímil y natural y clara. Estimamos que el personaje de «Otro

día nuestro» encarna, mejor que cualquier otro, la caracterización puertorriqueña que Marqués procura establecer en su cuentística. Lo estimamos superior por las razones que siguen: 1) representa al hombre que se identifica con la isla de manera íntima y completa; 2) está resuelto a morir por su isla y no a morir
por la nada; 3) es padre, esposo y defensor de un ideal noble;
4) es conocedor de la historia de su país; 5) es un personaje
Cristo del tipo persesguido, tal como lo busca Marqués; 6) es
hombre de acción y por eso está detenido; 7) vive agradecido y
hasta comienza cada día de angustia dándole gracias a Dios por
ese día, aunque todos son de incertidumbre, de dolor existencial; 8) se está quemando en el ardor de un futuro incierto y no
obstante es lo suficientemente positivo para no suicidarse; 9) es
un hombre que se asea, cuida y viste con orgullo personal.

Este personaje central se queja del ruido ensordecedor de la
ciudad y de los caminos de la basura. Considera al Crucificado
finamente tallado, y a pesar de ser grotesco y agónico, le parece hermoso porque lo labraron manos hermanas. Es intelectual en el sentido de que al recordar las citas bíblicas es capaz
de ver la ironía que tienen para él. Se sabe deslumbrado por los
tiempos pasado y presente entre los cuales está clavado como
si él mismo fuera un Crucificado. Busca la muerte porque sufre
tanto, pero no se da el lujo de quitarse la vida si su muerte no
alcanza la meta por la cual ha vivido, o si no deja la impresión
de que fue heroica. Creemos que es «Marqués también quien
introduce por primera vez como personaje de la literatura puertorriqueña la figura histórica de don Pedro Albizu Campos en
Otro día nuestro, cuento que da título al volumen y posiblemente
el más antologizado de todos sus cuentos» [17].

Entre los demás recursos que aportan calidad literaria al
cuento están: 1) el uso especial del título; 2) símiles singulares; 3) el dramatismo; 4) la creación de atmósferas y prosopopeya; 5) el gran friso histórico-cultural; 6) el conflicto político
de una especie de guerra fría; 7) el lenguaje popular; 8) las
onomatopeyas; 9) el aspecto atractivo del héroe; 10) el tiempo
como protagonista. Examinemos estos recursos.

El título del cuento se toma de una descripción por la voz

---

[17] José M. Lacomba, p. 17.

omnisciente de lo que el personaje central piensa al ver el cambio de la guardia:

> Los recién llegados se apostaron en la acera, debajo de su balcón, mientras los otros se alejaban somnolientos. Y él sintió por los que se iban (los guardias nocturnos) una intensa piedad. No podrán disfrutar de sus hijos hoy. Tendrán que dormir el día para volver a la vela nocturna. Y perderán la dicha de gozar otro día nuestro (p. 48).

Este comentario, que no se dice sino que sólo se piensa, representa una actitud positiva, generosa, humana y humanitaria. Unos símiles que nos parecen excelentes son los que siguen: «La red de cables telefónicos y de hilos eléctricos, como telaraña tejida por un insecto torpe o descuidado. Los postes de alumbrado, negros y ásperos como esclavos eternizados en servicio público» (p. 47). El dramatismo se ha comentado al referirnos a la tentativa del personaje central por escaparse. La creación de atmósferas, tan bien logradas en la narrativa marquesiana, se observa por todo el cuento. Un ejemplo es el siguiente, que nos deja ver más (y con prosopopeya) de la habitación en que está el viejo: «El sol, ganando terreno a las sombras, descubrió en ese instante, junto a la cómoda, una espada antigua .... Hoy descansaba sus siglos de historia bajo una capa de herrumbre: inmóvil, anacrónica, inútil» (p 53). Esta espada, junto con los otros objetos y muebles descritos, forma parte del cuadro en que este prisionero viejo tiene que esperar otro proceso más. El cuadro se completa con el Cristo crucificado, la cama de hierro, el quinqué ennegrecido y el lavabo anacrónico. El alto relieve histórico-cultural lo vemos en esa constante asociación libre de ideas que giran en torno a los símbolos de la naturaleza isleña, el Crucifijo, la tensión de una política absurda para el personaje, la vieja espada española que ya no puede nada.

En cuanto al lenguaje, señalamos los términos «*zafacones*» (p. 45) y «robots» (p. 45), anglicismos los dos. El primero se deriva de «*save a can*» y el otro es un calco exacto. Es raro que Marqués use anglicismos en su narrativa, pues, dada su actitud política, no le conviene. En otra parte de este cuento ha dicho «tambores» (p. 45) y no zafacones y en otros cuentos ha

usado «autómatas» y no robots [18]. Casi siempre exhibe una preferencia por los vocablos más castizos, a no ser que se trate de
uso efectivo o coloquial. Por una parte, René Marqués manifiesta su virtuosismo lingüístico, lo cual parece haber extrañado
a los críticos [19], mientras que por otra parece no cuidar la actitud puertorrriqueñizante que recomiendan los mejores lingüístas
boricuas [20].

Las mejores onomatopeyas se reducen aquí a los verbos de
que hemos hablado al comentar la invasión de la edad automatizada, a saber, «Un rugir de motores. Un Chirriar de engranajes.
Un crepitar metálico de tambores» (p. 45).

En cuanto al aspecto atractivo (caracterización) del héroe nos
fascinan las tres citas siguientes. Es la voz femenina que dice
—«me gusta lo que hay en ti de otras edades» (p. 49); es una voz
masculina que dice, «—Maestro, tiene usted rostro de Cristo»
(p. 53); es el héroe mismo que se dice, «Yo no pertenezco a esta
edad en que vivo!» (p. 54). He ahí el aspecto existencial heroico.

Mediante la voz omnisciente se nos explican los efectos del
tiempo, de cómo éste parece vencerlo todo. Por ejemplo, al referirse a la mujer como la ve el viejo, leemos: «El sabía que
hubo una época en que esos labios se habían abierto para dejar
escapar la risa de una mujer feliz y enamorada. Lo sabía pero
no lo recordaba. No podía revivir ni una sola de sus sonrisas»
(p. 52). Es una típica penetración psicológica del autor, poética y
sensible, que asombra por su profundo sentir.

Betty Rita Gómez-Lance amplía más el concepto: «del peso
que llamamos tiempo que a todo pervive y a todo survive, y en
todo deja su huella» [21]. Ella afirma que es la angustia de tal
realización lo que «le sobrecoge y le hace murmurar: 'Gracias,

---

[18] En el cuento «El juramento» se usa «autómatas» (p. 106) como
también en el cuento «La muerte» (p. 114).

[19] Este casticismo debe ser a lo que se refiere Fernando Alegría.
Véase FERNANDO ALEGRÍA, *Novelistas contemporáneos hispanoamericanos*
(Boston: D. C. Heath, 1964), p. 156.

[20] Rubén del Rosario aconseja: «Recuerde que no todo lo castizo es
correcto: una forma castiza es incorrecta si resulta ambigua o incomprensible en nuestro ambiente puertorriqueño». Véase RUBÉN DEL RO
SARIO, *La lengua de Puerto Rico, ensayos,* 10ta ed. (Río Piedras: Editorial Cultural, Inc. 1972), p. 27.

[21] BETTY RITA GÓMEZ-LANCE, p. 104.

Dios Mío por este nuevo día que añades a mi vida'»[22]. Nosotros, en cambio, opinamos que esa expresión de gratitud es sincera y que nace del corazón de un hombre, viejo ya, quien, dados los otros atributos de su carácter que hemos enumerado, heredó de esas «otras edades» un sentido de agradecimiento hondo, un sentir religioso perdurable.

En breve, nuestra opinión de este cuento está bien expresada en una crítica periodística puertorriqueña:

> «Otro día nuestro» es el mejor cuento .... Hay en él una perfecta armonía entre forma y contenido. Ahí está, en cuatro líneas rápidas, cifrado todo un perfil de nuestra historia .... Contrario a lo que declara el autor, me sospecho que el personaje (el maestro) sabía desde el comienzo de su vocación que estos tiempos no eran los suyos, pero salió bravamente al encuentro de esa realidad, combatiéndola en nombre de una realidad más alta, y tratando por lo mismo a transformarla. 'La espada de otros siglos' que contemplan sus hijos, recuerdos de Don Quijote, de Bolívar, es la eterna espada de los militantes del espíritu .... En este cuento reside la esencia túrgica de nuestro drama nacional[23].

«Otro día nuestro» es a nuestro parecer el cuento en que la relación hombre-isla, imagen preferida del autor, se cristaliza mejor, mostrando así la visión intelectual-intuitiva poética que es privativa de René Marqués, y la caracterización del protagonista es la mejor lograda de todas las caracterizaciones que en la cuentística marquesiana pueden ser consideradas como heroicas[24].

---

[22] *Ibid.,* pp. 104-05.
[23] JOSÉ EMILIO GONZÁLEZ, *El Mundo,* 29 de Oct., 1955, p. 20.
[24] La palabra «existencial» quizá sea más indicada que «existencialista», así se usa en toda esta crítica porque con frecuencia nos referimos a la angustia de los personajes y no a la tendencia filosófico-literaria en que pueden caber las obras del autor.

II. LA NARRATIVA EXISTENCIALISTA DE TIPO AMBIVALENTE

Parte primera: «La hora del dragón», obra modelo de los relatos ambivalentes; superaciones en la voz narradora; diálogos recordados y encabalgamientos; problemática de la moral femenina contemporánea.

Para empezar queremos advertir que el epígrafe perteneciente al cuento «La hora del dragón», omitido en la ya mencionada antología de Fernando Alyegría, es incuestionablemente uno de los más complicados de todos los usados por René Marqués y que el autor ahonda mucho en su significación. Si nuestra forma de comprender la interpretación que René Marqués le da no es equivocada, se nos obliga a creer que el epígrafe-idea-cuento, y representación literaria, constituyen el momento cumbre de su narrativa desde el punto de vista estilístico. El epígrafe es el que sigue:

> *Y se apoderó del dragón, la serpiente antigua, y lo encadenó por mil años y lo arrojó al abismo..., hasta que se hubiesen cumplido los mil años, después de lo cual ha de ser soltado...*
>
> San Juan, *Apocalipsis.*
> (20:2 a 20:3) [1]

---

[1] RENÉ MARQUÉS, *En una ciudad llamada San Juan*, 3ra. ed. (Río Piedras: Editorial Cultural, Inc., 1970), p. 75. Todas las citas referentes a este cuento se toman de esta edición.

Según el contexto bíblico esta cita se refiere a lo que pasará cuando venga Cristo a presidir el reinado milenario. Este será el período que inicie el ángel que encarcelará al dragón. Por mil años los que viven con Cristo conocerán Su paz. Nacerán niños y crecerán bajo el poder del Salvador. No obstante, al terminarse el reinado milenario, todos los que han nacido (nadie morirá) tendrán que conocer la tentación y ésta les vendrá por el dragón (Satanás) que será soltado de su prisión por un corto tiempo.

Lo que nuestro autor hace es crear un cuento existencialista, pero un cuento en que el tiempo, sea un año o sea mil, queda fuera de su interés principal. Este interés principal es examinar el modo de vivir de la mujer, su aburrimiento, el vacío que siente en sí, el tiempo en que se quema su alma por tanta monotonía. Describe una situación en que ella es atrapada entre las fauces del dragón y experimenta la sensación de saberse deseada, viva y atraída hacia el monstruo sin poder resistir. El resultado es una aventura que se convierte en vendetta. Una aventura que es la hora del dragón.

Este relato lo calificamos de ambivalente, juzgando que el desenlace, aunque parezca negativo, como veremos, le proporciona conocimientos a la mujer que puedan aclarar y enriquecer su existencia. La voz omnisciente nos refiere lo que sucede. Ella ve «unos ojos» (p. 75) y se siente «morir» (p. 75). Se trata de una emoción abrasadora que emprende« loca carrera ascendente por su cuerpo devorándolo todo» (p. 74). El uso de esta prosopopeya («devorar») inicia una serie de referencias poderosas al dragón antes de que el lector llegue a saber qué es el «Dragón».

El cuento también sirve de modelo para otros cuentos porque es la representación, no de una idea filosófica, sino de un suceso, de un cuadro en que se nos muestra un episodio en la vida del personaje, cosa que nos permite ver el contexto, o sea el amplio lienzo de la vida de la mujer en cuestión. La intención del autor en «La hora del dragón» es pintar una situación, relatar su anécdota sin insistir en instruir al lector. En la narrativa marquesiana hay muchos momentos en que el escritor, quizá sin querer, deja la impresión de estar tratando de convencer al lector de que sus ideas deben creerse y ponerse en ejecución. Lo difícil es que el lector no puede estar siempre seguro de lo que debe creer. Esta tendencia a la persuasión se observa en «La Chiringa azul», «Otro día nuestro», «Ese mosaico fresco sobre aquel mosaico antiguo» y *La víspera del hombre*. El afán del autor por ver libre y próspero a su Puerto Rico es lo que lo mueve a introducir tanto las ideas sobre las dos invasiones, pero sin aclarar nunca cuál es el deber patriótico del lector puertorriqueño: ¿dehacerse de toda influencia española, americana, extranjera? ¿Y cómo hacer eso? ¿Cómo, en fin, cambiar la historia y sus proyecciones? La intención instructiva en Marqués no es la esencia de las obras acabadas de mencionar, pero en ellas el tema político-social emerge con frecuencia y llama la atención.

«La hora del dragón», en cambio, refleja otro interés del autor: la psicología del personaje. En su autobiografía Marqués dice:

> El cuento es para mí, de modo esencial y en último análisis, la dramática revelación que en un ser humano hecho personaje literario —se opera, a través de determinada crisis, respecto al mundo, la vida o su propia alma. Lo sicológico es, por lo tanto, lo fundamental en el cuento. Todo otro elemento estético ha de operar en función del personaje. De lo contrario, deja de ser 'funcional' y se convierte en materia extemporánea, muerta. Dada la brevedad que, en términos de extensión, dicta el género, el cuento se presta, quizás más que otras expresiones en prosa, al uso afortunado del símbolo como recurso de síntesis poética. Es también, por la misma razón de su brevedad, susceptible de alcanzar la depuración técnica y estilística que rara vez alcanza la novela [2].

El Marqués cuentista ha escrito eso para responder a la pregunta: «¿Qué concepto tiene usted del cuento como género literario?» [3]. Y para contestar a esta siguiente pregunta, «¿Por qué cultiva usted este género?» [4], da la contestación siguiente:

> Si sólo se tratase de contar anécdotas, por interesantes que éstas fuesen, no cultivaría el género. Lo cultivo por lo que veo en él de concreción estética, por sus fecundas posibilidades expresivas, por el reto que el género constituye a la capacidad de síntesis poética del escritor [5].

---

[2] René Marqués, *Cuentos Puertorriqueños de hoy* (Río Piedras: Editorial Cultural, Inc., 1975), p. 113.
[3] *Ibid.*
[4] *Ibid.*
[5] *Ibid.*

Aquí el Marqués teorizante explica con precisión lo que ha sabido aplicar en tantos cuentos. En «La hora del dragón» observamos «La dramática revelación» de una vida en «determinada crisis» y «lo sicológico es ... lo fundamental» y «el uso afortunado del símbolo» es el «recurso de síntesis poética».

Siguiendo el método de análisis del presente estudio, veamos primero cómo se estructura el relato sobre la profecía enunciada en el epígrafe. Queda explicado ya que la idea de este epígrafe bíblico es una alusión a un suceso futuro, un hecho del porvenir y no una opinión o verdad de la que el autor nos quiera convencer. Ante el tema, que es una crisis moral, el propósito de Marqués es describir artísticamente dicha crisis. Resumimos la anécdota como sigue:

La protagonista, mujer casada, honesta, madre, de la clase alta, por el calor del día y la avalancha humana y por un malestar momentáneo, experimenta un vértigo y asfixia, y se detiene. Es empujada hacia la entrada de un establecimiento y lo primero que ve son «los ojos» (p. 75) de un hombre. Están en un bar. El hombre la ayuda y se muestra muy atento. Le enciende el cigarro. La mujer lleva «Veintidós años de casada, veintidós años de monótona bondad inalterable» (p. 83). Tiene «una casa de diseño ultramoderno, un jardín ... del *House and Garden,* un Cadillac rosa y negro, y la nueva y suntuosa iglesia de Santa Teresita no muy lejos del hogar impecable» (p. 83). Sale del bar con el hombre, que resulta ser marino mercante encargado por el día del taxi de su hermano. Bailan juntos en *Pleamar.* La vellonera (gramófono automático) en los dos sitios (el bar y *Pleamar*), con voz desgarrada le repite la canción:

> Es la historia de un amor
> Como no habrá otro igual,
> que me hizo comprender
> todo el bien, todo el mal (p. 80).

Ella «percibió en su garganta el aliento candente de las fauces del dragón y en su frente la presión tibia de los labios de él» (p. 89) y, más tarde, después de pasar la noche con él, con Muratti, el hombre, marino mercante italiano, «Su mejilla había ido a descansar sobre los fauces del dragón. Le observó moverse rítmicamente al compás de la respiración del hombre, en una especie de danza sensual y exótica» (p. 92). El hombre la lleva a casa y le dice —«Buenas noches—» (p. 94) (aunque el día no tardará en llegar) y ella, la mujer honrada, callada, y madre, echa «a correr definitivamente, hacia la puerta cerrada» (p. 94) de su casa.

El momento tremendo de que habla el epígrafe ha llegado. El dragón anda suelto, no por la tierra toda, después del reinado milenario, sino por la vida, por la conciencia individual de una mujer contemporánea después de veintidós años de casada. Esta es la aplicación que Marqués le da a la alusión bíblica, el epígrafe. La impresión favorable que lleva la mujer del hombre no hubiera sido posible antes en su vida. Hasta el mozo que la atendía le hubiera repugnado y asqueado. «Pero allí, en aquel mundo desconocido, sólo percibió el calor humano de la voz, el interés genuino reflejado en el rostro amarillento, como si a él en verdad le importase cómo se sentía ella (p. 78). Así vislumbramos el estado de ánimo del personaje, una mujer acostumbrada a ir a la Casa de España, y cuya vida antes de ese momento no rebasaba «el triángulo formado por Santa María, Caribe Hilton y Casa España» (p. 90).

El vacío que existe en ella, en su cuerpo y en su alma, quizá «se debe precisamente a eso, a que alguien ha cerrado toda puerta hacia lo imprevisto y maravilloso (p. 90).

Formalmente el relato se ejecuta de la siguiente forma: La primera indicación de que el personaje es una mujer es el adjetivo «aturdida» (p. 75). Esta táctica narradora se evidencia más en las observaciones sobre la estratégica disposición de los datos referentes al personaje en «El miedo».

El gramófono automático vuelve a dejar oír la canción melancólica del amor, que se repetirá como leitmotif a través del cuento para anunciar la proximidad del dragón. La letra de la canción se introduce por la voz omnisciente. La mujer, tratando de orientarse (está medio desmayada), comienza a pensar y la misma voz omnisciente nos revelará sus pensamientos: «*Peluquería, luego Casa Camilo, acera izquierda de Calle San Francisco, cinco de la tarde, avalancha enloquecida hacia Plaza de Colón, malestar, puerta abierta, empujón, ojos sin rostro, brumas, vacío...»* (p. 76).

Es preciso notar aquí la tipografía de que se vale el autor para expresar lo que se piensa en comparación con lo que se dice. Es una la tipografía en bastardilla usada para los diálogos recordados (retrospectivos) y éstos van precedidos de guión. Es otra la tipografía usada para los diálogos directos entre la mujer y Muratti y entre la mujer y el *bartender*. Las onomatopeyas y la letra de la canción que toca el gramófono se representan por la tipografía en bastardilla, al igual que las frases de diálogos que se entretejen en la libre asociación de ideas provista por la voz narradora omnisciente. También las citas de cartas que se le ocurren a la mujer se representan en bastardilla, pero éstas están entre comillas.

Ya recuperada de su desvanecimiento, la mujer se fija otra vez en los ojos de Muratti y cuando conversa con él en el Pleamar:

> A pesar de todos sus esfuerzos, los párpados se alzaron para permitirle a su mirada ascender por la pechera gris. Los dos primeros botones estaban fuera de los ojales, formando un improvisado escote en V angosta y larga. Y allí ... estaba el dragón. Era un dragón barroco, dibujado en violeta (minuciosa, casi dolorosamente) sobre la piel morena. Y las fauces abiertas y las garras crispadas eran horribles, pero los ojos eran hermosos, y aún en el punto luminoso de cada pupila había algo de verdad y ternura que no era posible ignorar porque despertaba una misteriosa nota dormida en el fondo de cada ser ... y debía ser noble. Porque todo lo que despierta como despierta una rosa a la vida, ha de ser bueno y venir de Dios (pp. 88-89).

Es la voz del narrador la que habla aquí dejando el subconsciente cada vez más claro, así como también la forma de razonar de la mujer, quien acaba por concluir «que una vez se acepta la existencia del dragón, lo maravilloso acepta sin extrañeza, sin que sean necesarias interrogaciones, o respuestas a esas interrogaciones» (pp. 98-90).

En este cuento el autor no muestra gran interés patriótico ni tampoco por la política internacional en que está envuelta la isla .«La hora del dragón» puntualiza los elementos universales de semejante crisis. Una sola protesta patriótica se ve con referencia a Muratti: «nació en una colonia que no quiere dejar de serlo» (p. 91).

El interés se concentra en la voz narradora, en la hábil colocación de los datos referentes al personaje femenino, en la creación de atmósferas, en símbolos evocadores, en imágenes de ambiente, en el dramatismo tan intenso de la vida interior, en escenas retrospectivas que desarrollan la caracterización, en onomatopeyas muy funcionales.

En este cuento Marqués demuestra su capacidad narradora de una forma superior a la que vimos en las obras que acabamos de analizar. Entre otras cosas, su técnica consiste en agregar poco a poco los datos relacionados con la vida del personaje y en cristalizar paulatinamente un estado de ánimo y un desarrollo sicológico. Los diálogos recordados se le presentan a la mujer por vía de la sugestión. El primero, por ejemplo, se le ocurre cuando el taxista le dice: «Pude correr a tiempo para sostenerla. Fue el calor, sin duda...» (p. 81).

> «—*Sí, doctor, calor.* Unas espantosas oleadas de calor que parece van a matarme.
>
> —*... esto le hará sentir mejor... Son los primeros síntomas.*
>
> —*¿Tan pronto, doctor? Yo sólo...* (pp. 81-82).

El segundo se le presenta cuando el taxi se pone en marcha. La sugestión es auditiva; «el *crac* de la banderilla del metro y luego el característico *tic - tic - tic*» (p. 83). Esta vez no es el doctor quien dialoga con ella sino su esposo:

> —*Es mejor que te deje el auto, nena. Yo puedo ir a Manresa con Fernández.*
>
> —*No, no, llévatelo. Total, yo no voy a necesitarlo.*
>
> —*Tampoco yo. Se trata de un retiro espiritual con los jesuitas, no de un 'weekend' de juerga.*
>
> —*No importa. Si vas en tu propio auto, no tendrás que depender de nadie. Yo puedo usar un taxi* (p. 83).

La tercera vez que se nos da información sobre la mujer es cuando la voz narradora omnisciente termina de referir muchos detalles acerca del matrimonio de la mujer y menciona la iglesia de

«Santa Teresita» (p. 83). Lo que sigue es un monólogo evocado por la voz omnisciente que describe sus pensamientos:

«—Y dedico esta Comunión hoy, Santísimo Sacramento, a la preservación de la felicidad de mi esposo y de mi hijo. Y, también, a que de algún modo se llene este vacío tan grande que siento en mi alma» (p. 83).

El cuarto diálogo recordado tiene lugar entre ella y su hijo, y se desprende de lo que dice el taxista. Este exclama: «—Lo siento. Una luz de tránsito que cambió demasiado pronto» (p. 83). Y la voz del narrador observa; «Volvió a cerrar los ojos. En la vida nada cambia demasiado pronto. ¿O sí?» (p. 84). La sugestión se inicia con la palabra «cambio» y con la observación de la voz narradora, la cual se funde con los pensamientos de la mujer y se produce lo que sigue:

—Pero, mami, ya soy un hombre. Puedo ir solo a Europa. Sé cuidarme bien.

—No es eso, Jorge. Es que aún estás convaleciendo. Irás en la excursión del año próximo.

—No, mami, este año. Tiene que ser este año (pp. 83-84).

Más tarde aparece entre comillas parte de una carta que nos permite suponer que el hijo Jorge está en Europa. «Florencia es una maravilla. Lo mejor de Europa, Mami. Estamos gozando mucho. Y me siento como nunca. Mañana salimos para Roma» (p. 84). Al mencionarse la palabra Roma, la voz narradora vuelve a tomar el hilo de la historia de la mujer que está recordando un viaje a Roma. Lo curioso es que ella cree oír «la voz discreta y suave del conductor, en medio del golpeteo monótono del tren» (p. 84). En realidad es el taxista:

—Señora.
Y el característico tic - tic - tic.
[del metro]
—Señora.
—¿Roma...? ¿Ya? (p. 84).

Por el tipo de letra usado sabemos que este diálogo se dice en voz alta. Es la primera vez que se mezcla la realidad interior

del personaje con la acción inmediata de la anécdota. La voz omnisciente explica: «Pero no vio las luces de la Ciudad Eterna.
En cambio, ¡cosa extraordinaria!, oyó la voz familiar del coquí»
(p. 84).

Y así intervendrán más estos dialogos recordados, monólogos
cortos intercalados en la asociación libre de ideas que va narrando la voz omnisciente, pero con una motivación cabal. La voz
desgarrada de la vellonera cantará más y se oirán fragmentos
de la carta de Jorge, y volverán a confundirse conversaciones
con Muratti e interiorizaciones de la mujer. Por una llamada
telefónica recordada sabemos que su marido le llama «nena»
(p. 85), pero el diálogo recordado que sigue quizá haga suponer
al lector que también le llama «Fefa» (p. 85). Resulta ambiguo
por la intervención de la criada (cocinera) y el lector se pregunta quién ha dicho: —«No sé si podré regresar antes de la
seis, Fefa» (p. 85). ¿La esposa o el marido? La criada dice:
—«Pues yo tengo que irme a las cinco, señora. Le dejaré la carne preparada» (p. 85). Opinamos que es la mujer quien lo ha
dicho y que se lo ha dicho a la criada, Fefa.

La asociación libre de las ideas no se limita a los diálogos,
cartas, llamadas telefónicas, monólogos interiores. También la
voz omnisciente la maneja con fina penetración para explorar el
ánimo de la mujer. Por ejemplo:

—Me llamo Muratti
—¡Es un nombre italiano!
Tenía que serlo. Porque el vermouth es italiano y la camisa es
italiana y Florencia es una maravilla ...
—Creo que mi abuelo era corso.
Y a ella le vino a los labios una palabra absurda, que no llegó a
pronunciar: *Vendetta*.
—El fue agricultor en Adjuntas.
Yo soy marino mercante.

Y para serlo hay que ser libre, ¡libre! ¡Y una aguja candente
graba en Shanghai, dolorosamente, la magia de un dragón violeta
Y en Nápoles hay la tentación de una camisa de seda gris como
jamás podrá concebirla la producción en serie de América ....
Y mujeres, ¡Oh, Dios!, mujeres con todos los olores y todos los
sabores del mundo. Pero ninguna como ella que ha tomado su
taxi (pp. 90-91).

La descripción de Muratti sigue hasta dejarlo pintado como prototipo de hombre libre. La eficacia de esta técnica depende, en nuestra opinión, de una gran profundización en la sicología humana delineada con precisión y poetizada hasta lo máximo. Depende igualmente del genio intelectual-intuitivo de René Marqués que sabe cuándo es el momento más oportuno en que esta asociación libre de ideas debe comenzar y suspenderse y volverse a iniciar mediante sugestiones auditivas, visuales o mentales.

Otros recursos que se destacan en este relato son los símbolos siguientes: el ron, el coquí, el color canela(de un adolescente), el gramófono automático, las luces (verdes, rosa, azul, amarillo, rojo) y luces de neón azules, los ojos, el dibujo color violeta del dragón, el mostrador, las botellas en el anaquel que ostentan uniformidad —imágenes y símbolos todos del ámbito puertorriqueño. Se destaca también la descripción impresionista en frases tales como, «Y su boca sin dientes se plegaba como un fuelle cada vez que acercaba a los labios secos el borde de la taza» (p. 79); y «Sus labios gruesos y pintados cubrían de un modo casi obsceno el cuello de la botella» (p. 79); «Oyó el ruido de la moneda deslizándose en las entrañas del aparato. Y casi al segundo, el monstruo se iluminó fantásticamente» (p. 86). (Aquí se refiere a la vellonera como robot.) Es otra de las prosopopeyas perfectas. También las onomatopeyas se logran bien: «oyó el *crac* de la banderilla del metro ... y el característico *tic - tic - tic*» (pp. 83-84). En este cuento el autor no muestra interés por el relieve histórico-cultural ni entra en opiniones políticas. Usa unas cuantas palabras del país bilingüe, de su dimensión internacional: *bartender,* camisa sport, coca-cola, *Caribe Hilton, Europa, Roma, Santísimo Sacramento* (sin hacer más comentarios al respecto). En cambio se menciona a un hombre que «hablaba de sombras, y del bien y del mal» (p. 76), mostrando así la intención filosófica y psicoanalítica del tema. Consideramos que «La hora del dragón» representa el mayor logro de Marqués en la categoría de cuentos que responden a una intención estilística y que su manejo de la voz narradora es más diestro aquí que en cualquier otra obra de su narrativa. Tanto el tono, que no admite compromiso, como el estudio mismo del personaje hacen de este cuento una obra maestra. Lo calificamos de ambivalente en comparación con otros que encajan más fácilmente en las categorías positiva o negativa según el grado de esperanza o desilusión que parece tener el personaje al final del relato. A pesar de que la mujer (personaje principal) termina enfrentando «la puerta cerrada» (p. 94), estimamos que en su vida se ha roto el círculo vicioso que antes la tenía presa, como esclava de una situación que no le permitía crecer moralmente. La hora en que la vemos ante el dragón le proporciona una realización de vida positiva porque ella la juzga así. Pero lo que le espera en el porvenir, detrás de esa «puerta cerrada», ha de ser problemático, si no en repercusiones negativas para su familia, cuando menos en una insatisfacción interna de su propio ser, si decide seguir con el mismo papel que antes tenía.

«La hora del dragón», más que cualquier otra obra, muestra la capacidad de René Marqués para escribir desde un punto de vista artístico universal y derrumba la crítica que tilda su narrativa de monotemática.

Parte segunda: «Ese mosaico fresco sobre aquel mosaico viejo», representación lírico-dramática; el espíritu de conservación de la cultura.

«Ese mosaico fresco sobre aquel mosaico antiguo» es a nuestro parecer uno de los cuentos más hermosos jamás escritos por René Marqués. Con la palabra «hermoso» queremos dar a entender que el cuento es como una poesía lírica (prosema) dramatizada que da la impresión de ser una carta de amor, carta hecha en América y enviada a Europa. El personaje que inicia la narración es un joven obrero que concibe la más pura fantasía, la cual, con todo su color colonial puertorriqueño, forma la esencia del relato. Por su final situamos este cuento en la narrativa existencialista ambivalente, pues la maestra que le habla al periodista desea preservar la cultura (historia) puertorriqueña y porque reconoce el valor de la visión del obrero. Nuestro periodista (autor) se halla comprometido y muere al final, pero afirmando la idea de que su trabajo (sacrificio) vale la pena. La maestra, además, le pregunta al periodista nuevo: «Pero... usted, jo-

ven..., ¿se cuidará?» (p. 134). Nos parece lo más indicado
aseverar que el periodista representa la juventud puertorriqueña
y de ahí el optimismo en medio de la tragedia. Pero es un optimismo no bien respaldado por el desenlace, y de ahí la categorización. Veamos el epígrafe, que es de René Marqués:

> ¿Se *es* porque se piensa o porque se siente? Europa, regimenta-
> da hoy, piensa aún con René Descartes antes de sentir. América,
> caótica aún en su desesperada búsqueda de un régimen dentro o
> fuera de los muchos que ha padecido, siente antes de pensar. En
> un futuro no lejano el caos de América será el orden de Europa.
> ¿Justicia poética? Sintámoslo así los latinoamericanos. A Europa
> le tomará tiempo pensarlo, pero a la postre lo sentirá también
> (p. 119).

La idea del encargo adquiere una forma literaria lírica sumamente sentimental. Uno de los personajes del cuento es un arquitecto que llega de Grecia con el encargo de erigir una mansión
en Puerto Rico. Se enamora de una mujer isleña. El con sus conocimientos de arquitectura («pensar»). Ella con su belleza y su
mirada deslumbrante («sentir»). Dijo él: «Y quise ofrecerte lo
que traía en mí de otras tierras» (p. 124). Dijo ella: «Alcé nuevamente mi mano y creo, creo que trató de sonreír .... El se in-
clinó, tomó mi mano y, en vez de simular un beso cortés en su
dorso, la volvió y besó largamente su palma. Fue tan largo el
instante, que creí percibir la caricia de su lengua sobre mi piel»
(p. 121). Este amor entre Europa el hombre, y América la mujer,
establece una base de profundidad filosófica e histórica que presenta de manera clara la dicotomía «pensar-sentir». El «sentir»
se nos presenta aquí en la forma más poética posible, una fantasía, una leyenda, un mito. Concha Meléndez aclara más la
dualidad (o dilema pensar-sentir) del obrero:

> Paz y trabajo ha dicho ... que son ahora sus dos pertinentes ne-
> cesidades... y otra pregunta más, de alcance universal: '¿La des-
> trucción y la paz?' ..., ha entrado el periodista en el enredo de la
> madeja. Ya no puede saber lo que es fantasía y lo que percibe
> desde su objetividad. Piensa desde un punto de vista de la madeja
> que ya no podrá desenredar: 'Acalla corazón, tu turbulencia, deje
> que hable la razón'. Debe escribir el último artículo. Faltan dos

horas para la *dead line*. Pero no pudo ser objetivo ni prevaleció en él la razón [6].

El caos de que habla René Marqués tiene dos elementos de igual fuerza motivadora en el cuento. El primero de éstos es el aerolito (la bola), símbolo del avance ciego y destructor de la civilización materialista moderna. Es la «desesperada búsqueda» de un régimen nuevo de que se habla en el epígrafe. El joven obrero que maneja la grúa está a punto de dirigir el aerolito hacia las paredes de una hermosa mansión puertorriqueña. Tiene la costumbre de beber aunque es cumplidor en su trabajo, y al iniciar la tarea ve una visión, una maravillosa fantasía y grita: «¡Esa mujer! Me caigo. ¡Esa mujer! Me caigo» (p. 122). Al lector se le sugiere que la escena que contempla el trabajador tal vez se produce mediante poderes especiales, que en este caso se derivan del alcohol, el sentir. Otro personaje es el joven periodista, que tiene el encargo de escribir un artículo sobre lo ocurrido con la destrucción de la vieja y hermosa mansión Giorgetti, la cual «era de gran valor no sólo arquitectónico sino también histórico» [7] y que luego había de «ser subtituida por un modernísimo condominio» [8]. El encanto de esa mansión y lugar históricos, hecho fantasía por el joven obrero, es el otro elemento motivador en el cuento.

El relato lo escribe el periodista y comienza con la misma disposición de datos cautivante que caracteriza la mayoría de los cuentos del autor. Veamos:

> Dicen que la vieron descender de un coche. No de un automóvil: de un coche tirado por dos caballos como los que para otra época circulaban .... Aunque las fuentes no son confiables. Pero asegura que la vio bajar del coche y él por poco pierde el equilibrio y cae desde lo alto de la grúa a las baldosas de mármol frente a la fachada .... Yo, como periodista objetivo asignado a esta absurda tarea, ¿qué puedo hacer? (pp. 119-120).

La anécdota se basa en este suceso y más particularmente en

---

[6] Concha Meléndez, «Isla Personificada en un cuento de René Marqués», en René Marqués, *Ese mosaico fresco sobre aquel mosaico antiguo* (Río Piedras: Editorial Cultural, Inc., 1975), pp. 62-63.

[7] José M. Lacomba, Portada e Introducción, en René Marqués, *Inmersos en el silencio* (Río Piedras: Editorial Antillana, 1976), p. 20.

[8] *Ibid.*

la imaginación del joven obrero que rehusó echar el aerolito contra las paredes de la mansión. Gritó: «¡No puedo! ¡No puedo!
¡Ella está dentro!» (p. 122). Y más tarde, después que su jefe ha
destruido la mansión con la pesada bala, dice lo siguiente:

> Eran en la pared unos dibujos; bueno, no dibujos, sino mosaicos
> con ramas y hojas y frutos de café maduro. Y ahora, sobre aquel
> mosaico viejo, otro mosaico fresco: Una mancha de sangre y car-
> ne y huesos triturados y, al pie, un sombrero de encaje ... que
> pudieran ser un traje de mujer (p. 132).

La palabra «dicen» que da principio al cuento le proporciona
un tono de incertidumbre que se intensifica y se convierte en
tono de misterio, lo cual refuerza el elemento «sentir» (subjetivo) de la fantasía. El que sean innombrados estos personajes
contribuye a hacerlos menos reales y por lo tanto más aptos para
la fantasía que viene tejiendo el joven obrero. Al entrevistar el
periodista a la maestra de historia, oímos a ésta decir:

> Claro que eso del coche y los caballos y la mujer en traje color
> café... No sé. Aunque yo, francamente, siempre le doy margen al
> misterio. Hoy no se cree en el misterio. Sin embargo, yo le adver-
> tiría, joven, cuídese del misterio (p. 125).

El cuento se estructura sobre la base de varias entrevistas
con el joven obrero, una con el jefe de éste, y otra con una maestra de historia. El punto de vista es principalmente el del periodista, cuya fuente de información son las entrevistas y; al parecer (no lo dice), dos cartas de amor: una escrita por el arquitecto, otra escrita por la mujer. Europa y América. También hablan
la mujer y el hombre en diálogo directo. El otro elemento motivador del caos lo representa la sensación angustiosa en el joven
obrero, y se supone que tal sensación es compartida por los
boricuas en general. A él le toca destruir una hermosa mansión
colonial. El lugar antes «era casi campo .... Hasta cafetos había ....
Y el joven arquitecto ... trató de preservar en todo lo posible la
naturaleza» (p. 123).

Y ¿qué fue precisamente lo que vio el joven obrero? Él mismo
nos lo dice en la entrevista:

> Iba a empezar a operar la máquina cuando sucedió. ¡Era imposi-
> ble, yo lo sé! Después del susto tremendo, me eché a reír. Siem-

pre me río cuando no entiendo. Pues no estábamos en Carnaval y, ¡caramba!, era muy temprano para ver una película en televisión. Pero así fue. Bajó del coche y yo todavía encandilado con los caballos, pues siempre me han gustado esos animales soberbios ..., bajó y cerró su sombrilla, y alzó la vista, y vi aquellos ojos, ¡Dios santo!, que me miraban a mí, sólo a mí. ¿Sabe usted lo que es eso? Con un sombrero grande, de algo que desde arriba parecía encaje. Y el traje hasta los tobillos, o más abajo quizás .... Y usaba guantes. ¿Podrá creerlo? ¡Usaba guantes! (p. 120).

Más adelante sabemos que él verdaderamente cree haber visto «sobre aquel mosaico viejo, otro mosaico fresco: una mancha de sangre y carne ... y, al pie, un sombrero de encaje ensangrentado» (p. 132).

Por medio de la entrevista con la mujer nos enteramos de una idea suya de la cual se compenetra el cuento entero. Es la siguiente: «Todos, en fin, arquitectos del laberinto» (p. 121). Se refiere al anfitrión, al político, al patriota, al arquitecto.

El autor nos ha dicho en un libro ilustrado [9] en que sólo se presenta este cuento, que el consabido laberinto es la sociedad puertorriqueña forjada en parte por esos cuatro personajes y más tarde por la maestra también «(que luchó denonada, pero infructuosamente, por salvar la mansión *Giorgetti* para convertirla en museo)» [10]. Los personajes del reparto fotográfico de dicho libro son: El Arquitecto, Gabino García Abreu (el verdadero arquitecto extranjero que diseñó y construyó la mansión no tiene que ver con el arquitecto literario); El Periodista, René Marqués; La Amada, Cynthia García; El Joven Obrero, Luis Boney y el Periodista Joven, Francisco Vázquez, hijo. Estos cinco forman parte del Reparto Fotográfico del libro de lujo de que hablamos. Es un libro que tiene fotos y crítica literaria y un apéndice gráfico que es un mosaico étnico y cultural.

El cuento es realmente una recreación literaria de personajes históricos: El Político, Luis Muñoz Rivera; El Poeta, José de Diego; La Maestra, Doña Rosa González, Vda. de Coll y Vidal. Las fotos y el fino aspecto artístico del libro ilustrado reflejan

---

[9] Es el libro de la nota 6, una publicación de lujo.
[10] RENÉ MARQUÉS dice esto en el prefacio al libro cuando explica la recreación de los personajes históricos. Véase *Ese mosaico fresco sobre aquel mosaico antiguo*, p. 12.

el reconocido talento de José Manuel Lacomba. A éste le corresponde más tarde realizar la escenografía del primer drama de René Marqués que se representó en esa sala de teatro que lleva el nombre del autor.

Lo más misterioso del cuento se encuentra en lo que dice la bella mujer al entrar a la mansión para ser saludada por los cuatro personajes, todo lo cual ocurre todavía en la poética visión del joven obrero. La mujer describe cómo conoció por vez primera al arquitecto:

> Estaba allá, inmóvil, bajo la opaca policromía de una maravillosa lámpara Tiffany, recostado contra la pared de mosaico con su diseño de hojas y frutos de café. Me miraba. Y desprendiéndose del mosaico —dios mitológico que sobrevivió a algún cataclismo de otros dioses— se acercó lentamente (p. 1221).

Un examen del hilo temático revela que el título se repite («La pared de mosaico») y que encierra la fantasía fundamental de la anécdota. La anécdota tiene su unidad estructural en el periodista. Angela B. Dellepiane, crítica argentina, explica la historia como sigue:

> Se estructura en dos tiempos distintos aunque mostrados como simultáneos al lector: el presente de la demolición y de la pesquisa del periodista, y el pasado —principios de siglo— que vio levantar la mansión. Igualmente dual es el espacio en que se mueven los seres: un espacio conocido, real y un espacio misterioso al que sólo accede el obrero y que únicamente la maestra acepta como real *(Hoy no se cree en el misterio. Sin embargo, yo le advertiría, joven, cuídese del misterio);* una realidad fantasmal pero no por ello menos real [11].

El cuento, de hecho, podría resultar mosaico narrativo, rompecabezas para el lector que con una sola lectura quiera captar su esencia. La reseña de Ángela B. Dellepiane, incluida en la mencionada edición de lujo, lleva el siguiente título: «Leyendo un cuento con claves de René Marqués». Citamos de ella la siguiente interpretación:

---

[11] Ángela B. Dellepiane, «Leyendo un cuento con claves de René Marqués», *Ese mosaico fresco sobre aquel mosaico antiguo,* pp. 70-71.

como la vida continúa (aunque por sobre mutilados cadáveres), los chamaquitos, las ancianitas, unos viejos, recogen los jirones de tradición *sin comprender o comprendiendo demasiado* ... ése crimen irracional por el que se destruye lo autóctono y verdadero para suplantarlo por lo foráneo e inauténtico: el *rascacielos*. Y aquí el sarcasmo —*rascarle algo al cielo*— amargo y desesperanzado. La patria yace destrozada; el pueblo sin trabajo [12].

El joven obrero que se opone a la tarea destructora queda desocupado —«el pueblo sin trabajo» [13]. No obstante ser una crítica penetrante y acertada vamos a tener presente que René Marqués también habla de la *primera invasión* y nos indica cómo se echó a perder la vida natural (ideal) de los taínos con la llegada de los españoles. El conflicto, sin embargo, que siente el autor por la primera invasión tiene que quedar oculto aquí, puesto que resultaría contraproducente, ya que todo el cuento tiene por objeto el personificar la isla que está representada por una vieja mansión colonial española y el censurar que el progreso no sea más racional.

Es la doctora Concha Meléndez quien capta el meollo del epígrafe entresacado de la carta de la mujer (América) al arquitecto (Europa): «Yo, isla tuya, sigo perdida en el laberinto aún. Que tu Zeus y mi Yukiyú, nos permitan reunirnos en un futuro sin tiempo» (p. 130). La soñada unión del pensar-sentir. Suponemos que tal unión es la que quizá pueda existir no sólo entre Europa y América, entre el poeta y la mujer, sino la que pueda realizarse entre los sentimientos y la razón en el ser humano universal. El artículo de la doctora Meléndez se llama «Isla personificada en un cuento de René Marqués» [13]. Su opinión es convincente también en lo que se refiere al género de la obra: «... este cuento podría representarse en una lectura de diferentes voces o refundirse en un drama como ha ya hecho Marqués con los cuentos 'El niño en el árbol' y 'Purificación en La calle del Cristo'» [14]. Dice que: «la destreza en la disposición de las escenas, acusa la pericia del autor de obras para el teatro» [15].

---

[12] *Ibid.*, p. 77.
[13] *Ibid.*
[14] CONCHA MELÉNDEZ, p. 64.
[15] *Ibid.*

El cuento alude una vez más al concepto visto antes: isla-persona y aquí, isla-mansión, isla-mujer.

Repetimos que nuestra intención, entre otras, es describir la relación que pueda existir entre el epígrafe y la obra. Nos parece patente que la inspiración de este cuento proviene de un tema real, la destrucción de la mansión, y que el epígrafe sirve de explicación filosófica que refleja el punto de vista del autor.

Ángela Dellepiane nos enumera los elementos indispensables del cuento, señalados por los teorizantes del género:

> la unidad de emoción, la brevedad, la anécdota significativa, la economía verbal, el suceso único, la unidad espacial, el número limitado de personajes o el protagonista solitario, el trabajo en profundidad, la alta tensión espiirtual y formal con que debe de escribirse y un desenlace hacia el que todos estos elementos conducen y que han de cambiar al protagonista. Se subraya, asimismo, que el efecto es lo esencial en el cuento y que ese efecto debe de ser único y logrado mediante una estructura monolítica y piramidal en que todo converja hacia un final que exprese una tensión creciente. Chéjov no quiere detalles, nada, sino aquello que exista en función del efecto final. En el conflicto del cuento no cabe diversificación [16].

Nos llama mucho la atención que Ángela Dellepiane sólo se haya fijado en unos cuantos modos en que este cuento se separa de las preceptivas ortodoxas y que ella, a pesar de habernos indicado sus aspectos poéticos: encabalgamientos, cesuras, distensiones, el acorde musical, y otros, no haya hecho hincapié en lo difícil que es comprender este cuento. Tan difícil es, en efecto, que el reparto fotográfico de la edición de lujo nos parece equivocado. El cuento nos dice que el patriota es poeta también y el autor lo dice en el prefacio, pero debajo de las fotos en cuestión están las designaciones que siguen: El Poeta (recreación de José de Diego), y El Patriota. Nos parece que esta última será El Político (recreación de Luis Muñoz Rivera) y no el patriota (p. 14).

Lo cierto es que este cuento no sigue la preceptiva referente al número de personajes y que la sola cantidad de personajes dificulta la comprensión del lector. Será por eso que la doctora

---

[16] ENRIQUE ANDERSON-IMBERT, citado en ÁNGELA B. DELLEPIANE, p. 79.

Meléndez nos dice que podría refundirse en drama o representarse en una lectura de diferentes voces.

Al final vemos que el punto de vista de la voz narradora no es omnisciente y que el periodista mismo, que procura ser objetivo, se envuelve en «la madeja» y acaba por decir que «La única solución para salir del laberinto es jamás penetrar en él» (p. 133). Se refiere, en parte, a la difícil investigación que le tocó realizar sobre la mitología precolombina a que alude la maestra. Se da cuenta el periodista de la honda raíz que tiene la leyenda (o mito) relatada por la maestra cuando describe el campo que ocupaba la mansión.

La maestra intenta conseguir permiso de los ministerios de Educación y Cultura para usar la mansión Giorgetti como museo para exhibir una gran colección de «cosas molestas e inservibles que pueden dar testimonio de algo que no le importa a nadie» (p. 126). Lo precolombino, junto con el interés por preservar artículos del Puerto Rico pasado («pedazos hermosos de vigas de ausubo») (p. 126), y de otras culturas, muestra la misma sensibilidad particular de siempre de René Marqués por lo puertorriqueño y resalta lo mucho que simpatiza con ella, por ser la mansión depositaria de la cultura boricua, y por su estimación de la cultura universal.

Es muy evidente el relieve histórico-cultural del cuento tal cual lo observamos en el suceso mismo, en los personajes, en la atención que se pone al pasado. Será bueno indicar aquí que René Marqués, quizá por motivos justificables desde el punto de vista de la política internacional, o quizá por su linaje y herencia cultural, se muestra siempre más benévolo con la primera invasión que con la segunda. Lo único que hemos visto en toda su narrativa que pudiera interpretarse como referencia favorable a la segunda invasión es lo del «4-H» en la novela *La Mirada*. Esto último lo comentaremos más adelante.

A nuestro parecer el conflicto del cuento sí tiene diversificación, y mucha. Mencionaremos algunos aspectos de ésta. El periodista, desde un principio, está ahí, entre lo objetivo y lo subjetivo (el misterio). El capataz de la obra, como instrumento del progreso materialista, tiene que encarar el problema del joven obrero, lo cual no es fácil. El obrero no experimenta la sensación de una rebeldía violenta y será presagio de los que querrán ver el gran valor de la visión poética. La maestra enfrenta el letargo a la apatía del orden establecido. La hermosa mujer, así como el hombre europeo, conocen el conflicto de la separación. También el periodista se ve en un constante apuro por la «deadline». La diversificación del conflicto, siendo múltiple, tampoco se atiene al consabido criterio de los teorizantes de que habla Ángela Dellepiane.

Vale la pena ver cómo el episodio contado aquí por René Marqués «va más allá de los límites del marco que lo contiene, como también es patente que explota en infinidad de símbolos, referencias y alusiones a problemas sociales»[17]. Así ha dicho Ángela Dellepiane, mas conviene recordar que, según Cortázar, el cuento recorta

> un fragmento de la realidad, fijándole determinados límites, pero de manera tal que ese recorte actúe como una explosión que abre de par en par una realidad mucho más amplia, como una visión dinámica que trasciende espiritualmente el campo abarcado por 'la narración'[18].

Consideramos que éste es el más complicado de todos los cuentos de René Marqués, opinión que se verifica fácilmente leyendo los dos artículos críticos que hemos citado aquí.

Antonin Nechodema, el arquitecto que ideó la mansión, la describe como «la más suntuosa residencia de Puerto Rico»[19]. Así vemos por qué este suceso, hecho literatura, fue, como dice la doctora Meléndez, «de los que provocan asombro y consecuencias»[20] y que «la consecuencia más perdurable y la más compensadora sin duda, es este cuento de René Marqués»[21].

---

[17] ÁNGELA B. DELLEPIANE, p. 78.
[18] JULIO CORTÁZAR, citado en ÁNGELA B. DELLEPIANE, p. 78.
[19] ANTONIN NECHODEMA, citado en CONCHA MELÉNDEZ, p. 51.
[20] CONCHA MELÉNDEZ, p. 51.
[21] Ibid.

Parte tercera: «Dos vueltas de llave y un arcángel», anécdota circular; la estratégica disposición del material narrativo y la preferencia por lo elegante.

«Dos vueltas de llave y un arcángel» se relaciona íntimamente con una cita de Erich Heller que sirve de epígrafe al cuento: «*We can no longer be sure that we love the lovable and abhor the detestable*» (p. 59).

El plan del autor fue estructurar situaciones y episodios que pudieran ser comparados con otros que él describe, y así permitir que el lector juzgue cuáles son los que más le convienen al personaje central del cuento.

Este cuento manifiesta, por lo tanto, una gran profundidad intelectual. El personaje central es una muchacha de trece años de edad, que es engañada por un hombre casado mucho mayor que ella. Sus padres no le perdonan a la muchacha la indiscreción. Su padre la condena con «la palabra sucia en la boca» (p. 62) y la madre le dice, «¿Por qué no le rezaste a San Gabriel, mi hijita?» (p. 62). Su error fue dejarse seducir por el hombre que le regalaba un collarito de perlas. La muchacha, cuyo nombre ignoramos (recurso característico del autor), salió de su casa sabiendo que la puerta a su espaldas se le cerraba definitivamente. Aparece en un bar con el hombre que la ha seducido, y le dice: «—Aquí estoy. En mi casa no me quieren» (p. 63). El no la quiere tampoco y «pasó la mujer de los muchos brazaletes, que era buena con su traje colorado, que comprendía tan bien los trece años de una niña a quien le han dado la palabra fea» (p. 63). Un hombre llamado Miguel quiere tener relaciones sexuales con la niña, pero debe esperar, porque según la mujer del traje colorado, «Un salvaje la maltrató demasiado» (p. 64).

Miguel, que tenía los ojos verdes, le dio de beber algo dulce que tenía sabor rico a anís. La muchacha, desde ese momento, se entrega a *San Gabriel arcángel* y vuela muy por encima de la ciudad de San Juan, «blandamente, remontándose más alto, tan alto» (p. 67), en las alas de su protector, Miguel, el de «la camiseta roja que iba al club atlético y levantaba pesas» (p. 65). El se llamará después, en el relato, «el arcángel» (p. 67), y la tendrá a su disposición para una clientela numerosísima y para sí mismo.

La maltrataba cuando se escapaba y él guardaba la llave de su habitación. Ella se entregaba a él diciendo dentro de sí, «*Te rezo ahora, San Gabriel Arcángel*» (p. 74).

Lo particular del cuento consiste en el análisis de la proposición filosófica del epígrafe y en la organización de los materiales. Estos últimos representan un logro de destreza artística. Esther Rodríguez Ramos lo explica bien:

> La acción se inicia poco después del punto culminante. De ahí que los once apartados que componen la narración, comparables a cuadros dramáticos, se desarrollen en un oscilar entre el pasado y el presente, donde aquél ocupa la mayoría de los pasajes desde el apartado segundo hasta el quinto, la acción es retrospectiva. El sexto nos devuelve al presente Entonces prevalece la vida de la niña en el burdel. Aunque en algunos de estos apartados se nota un movimiento transitivo que los une, como en los casos del primero y el segundo y el octavo y el noveno, donde la acción presente de los primeros da lugar a la retrospección de los segundos en el caso del primero y el décimo, cuya acción, anticipada en aquél y concluida en éste, los vincula de modo directo, casi ninguno —y eso, a su vez, sucede en las escenas que componen cada apartado— se une por medio de vínculos expresados, al menos en términos de acción, sino de vínculos tácitos, como suele ocurrir en el cine [22].

También la voz naradora (complicada aquí) y varios recursos literarios como la repetición, las imágenes, y los símbolos, se destacan mucho. El aspecto poético de este cuento eclipsa el contenido del mismo, sin que éste deje de ser profundo desde el punto de vista social y humano. Hemos calificado este cuento como de carácter ambivalente.

¿Qué es «the lovable» y qué «the detestable» de que se habla en el epígrafe? Bien, limitándonos al cuento, tenemos que suponer que la niña de trece años merece mejor tratamiento, primero en la casa paterna y después en la sociedad. Es expulsada de su casa por haber deshonrado a sus padres y es usada por la sociedad con fines puramente económicos. Es una situación en que la niña queda deshumanizada, no gozando de ninguna libertad ni de dignidad personal.

---

[22] ESTHER RODRÍGUEZ-RAMOS, *Los cuentos de René Marqués* (Río Piedras: Editorial Universitaria, 1976), pp. 112-13.

Sin embargo, la intención del autor es mostrar que la niña confía algo en la bondad de Miguel, que «la miraba con sus ojos verdes, dulces como menta» (p. 65). La envolvía con sus «alas abiertas para remontarse al cielo» (pp. 68-69). Este Miguel, que no era arcángel, la tenía allí, en esa habitación, para ganarse la vida «mientras los billetes, entre sus manos, hacían: «*cric-crac, cric-crac*» (p. 68), y «la máquina que era ella los producía» (p. 68). Esta es la situación que seguramente representa «the detestable» de que habla Heller. La otra situación de la cual la protegía Miguel era la «Del mundo de afuera, que era extraño e inexplicable ... guardlándola, con dos vueltas de llave, contra los abusos de la vida. Y los meses '¿años?' tras la puerta cerrada eran la seguridad y la botella del anís ...» (p. 68), porque:

> antes ya ella había visto a las mujeres con brazaletes que hacían tin-tin-tilín ... Y hombres pálidos con navajas clavadas en las espaldas, y policías azules machacando sesos con sus macanas, y marinos color de nieve orinando, como los perros ..., y niñas pequeñas, tan pequeñas como había sido ella una vez, abriéndoles los pantalones a soldados ... y el perfume atroz de los hombres que parecían mujeres .... Calles de nombres santos: Cristo, San José, San Sebastián .... ¿Cómo se defendería ella de ese mundo inexplicable si no existiera él, y la habitación de piso polvoriento, y la llave que hacía tras-tras? *Protege a mi hijita, San Gabriel Arcángel* (p. 69).

Así, son tres situaciones posibles para el personaje central, las tres malas: la casa paterna, la habitación del arcángel, la ciudad de nombre santo, San Juan. Nuestro autor, al trazar los contornos morales de las situaciones, nos presenta primero la casa en la que se le dice: «¿Por qué no le rezaste a San Gabriel, mi hijita?» (p. 62). La pregunta indica la base ética de la casa (son religiosos), que ella no respeta. La habitación está alquilada por Miguel, que la maltrata y que abusa de ella. La ciudad es San Juan, con sus múltiples peligros para una muchacha de su edad y de su condición. Así observamos cómo la idea del epígrafe vuelve a aparecer en la narración. Si nosotros los lectores tuviéramos que escoger la situación conveniente para la víctima (el personaje central), ¿cuál sería? Y si le aplicamos otra interpretación al lema razonando moralistamente, por ejemplo, que el personaje central representa lo malo y que otra muchacha, buena y honrada, representaría «the lovable», ¿podemos estar seguros de que «we love the later and abhor the former»? El autor borra así las líneas divisorias tradicionales de la moral con el criteiro filosófico impuesto por Heller. Marqués en este relato logra una penetración aguda en la psicología del personaje y en la de la sociedad urbana contemporánea.

El título mismo es también un recurso que nos da mucho en que pensar si recordamos que es la madre quien la acusa con su tono religioso-moralista: «¿Por qué no le rezaste a San Gabriel, mi hijita?», sugiriendo que podía haber evitado el problema. Después es siempre la petición de la madre que se le ocurre a la muchacha cuando piensa: «San Gabriel Arcángel, protege siempre a mi hija» (p. 64). Para rematar este vuelo tan afortunado de la imaginación poética, Marqués crea un «Miguel» (p. 72) que la protege «del mundo de afuera» (p. 68), y Miguel, para la muchacha, es el arcángel. La voz omnisciente nos revela que a esta muchacha le da por creer que Miguel es su protector y ¿lo es o no? Miguel explota a la muchacha, de eso no cabe duda. He ahí la esencia del epígrafe y esta esencia se amplía y toma una representación literaria en forma de cuento.

El segundo paso que damos al examinar cada obra es averiguar si manifiestan el interés patriótico-literario y el afán conservador (preocupación reformadora) del autor ante la cultura puertorriqueña. Muy a propósito ofrecemos aquí un comentario de Francisco Manrique Cabrera que acerca de los cuentos de René Marqués dice:

> Abordan temas de tal naturaleza que llevarían a unas manos inexpertas a entrar en cuestiones controversiales de orden político. René Marqués, sin embargo, buen poeta del cuento, penetra sus materiales y saca a flor los nudos conflictivos desde honduras siempre sorprendentes, a puro impulso creador [23].

Estas palabras confirman nuestra opinión referente al énfasis literario de este cuento. Aquí es intención del autor no insistir en una cierta ideología política, sino más bien plantear de

---

[23] FRANCISCO MANRIQUE CABRERA, Historia de la literatura puertorriqueña (Río Piedras: Editorial Cultural, Inc., 1971), pp. 324-25.

forma artística la problemática de una política internacional, y aplicar su genio intelectual-intuitivo para que se aclaren los efectos de tal problemática. En este cuento sí se manifiestan de forma negativa el interés patriótico y el afán conservador por lo puertorriqueño, cuando por ejemplo, la voz omnisciente comenta el medio ambiente: «y marinos color de nieve orinando, como los perros, junto a los postes de luz» (p. 69) y «¿Puede existir un lugar donde jamás los padres pronuncian la palabra sucia? ¿Donde San José sea el esposo de la Virgen ...? ¿Dónde la Luna tenga montañas de plata, en vez de bares de neón y espejos sucios?» (p. 73).

Lo de los marinos orinando nos presenta una imagen antiamericana, bien fea, que en otro cuento («En una ciudad llamada San Juan») forma el episodio principal. La presencia o influencia americana aparece notablemente falta de cultura y de educación. Los bares de neón y los espejos son lo opuesto, para el autor, de las «montañas de plata» (p. 73). Con frecuencia tenemos la impresión de que para René Marqués la isla de Puerto Rico sólo era ideal antes de que la civilización europea llegara a ella.

Vemos que la anécdota no es lineal y que comienza in *medias res*, dos elementos que caracterizan a estas obras en general. No obstante, en este cuento, la voz omnisciente nos descubre al principio una escena cuyos hechos sucedieron después de los otros que se narran. Esto complica la lectura, desafiando la inteligencia de los lectores. Vemos además el mismo proceder artístico descrito al referirnos a «La hora del dragón», a «Otro día nuestro», a «El miedo» y que advertiremos en otros más, a saber: la estratégica disposición de los datos anecdóticos, creando así con este proceder, una intensa tensión por el desenlace. Se nos dan datos sobre la anécdota, pero sólo unos cuantos. En este cuento (y en los otros acabados de enumerar) se nos oculta lo principal: la identificación del personaje de que se habla. ¿Es mujer, hombre, niño? ¿Está vivo o muerto? Consideramos que el suspenso así creado resulta grande y que René Marqués descuella por su habilidad literaria. La voz omnisciente va desplegando ese constante fluir de la conciencia. El siguiente trozo es un ejemplo sacado de la primera parte del cuento:

> El de anoche no era chino, a pesar de sus ojos y el color de la
> piel, *Filipinas, Manila, Océano Pacífico*, o algo por el estilo. El in-
> fierno en la espalda seguía ahí. La nieve, si fuese algodón tenue,
> refrescaría su espalda. Pero la nieve no existe más que en los
> libros .... Miró la puerta de reojo. La espalda era una llaga viva.
> Y la puerta estaba cerrada. Dos vueltas de llave: tras tras. Los
> pasos se alejaron pesados por el pasillo (pp. 59-60).

Se supone que se trata de una mujer (resulta ser la niña de 13
años), pero no se nos dice nunca su nombre. Sólo al desarrollar-
se las situaciones y mencionarse los diálogos recordados se sabe
que la «*hijita*» es el personaje central. El autor no emplea el
pronombre personal «ella» y no es hasta el tercer apartado que
se nos da un indicio (sintáctico) que identifica el sexo del personaje: «—Eres boba o sinvergüenza» (p. 63). Lo de «la nieve» nos
hace creer que o esta niña entiende de libros, de lugares remo-
tos donde nieva o que el autor no adecua bien los pensamientos
a la verdadera vida interior de ella. Si sabe de libros, ¿cómo no
usa mejor su inteligencia para salir de su situación? ¿Habrá otra
manera de comprender esto? Sí, podemos insistir en que René Marqués descuida a veces la propiedad (falta de correspondencia) de
sus caracterizaciones, las cuales pudieran nacer más del carácter
independiente del personaje. Su costumbre de imputarle fantasías o
ideas sin propiedad gira sencillamente en torno a un eje poético
que, aun cuando le resta por inverosímil, le agrega una momentá-
nea perspectiva, viva y humanitaria. Con frecuencia el autor es
atraído hacia sus personajes y se acerca a ellos por la voz narradora, probando remedios mentalmente sólo para rechazarlos
después con cinismo: «Pero la nieve no existe más que en
los libros».

«Dos Vueltas de llave y un arcángel» rebosa de tropos retóricos que son factor decisivo para el elegante logro estético que
se intenta. Entre los tropos más significativos hemos escogido
éstos: «Con el mismo ritmo de su andar desganado» (pp. 62-63);
«la mujer de los muchos brazaletes» (p. 63); «tlin-tilín, sonaron
los brazaletes» (p. 65) «(y los brazaletes sonaban de admiración:
tin-tin-tilín)» (p. 65); «Tlin-tin-tin, sonaron las manos al contar
los billetes» (p. 66); «dos vueltas de llave; tras-tras» (pp. 60-67);
«Los pasos se alejaron pesados por el pasillo» (3 veces) (pp. 60,
67, 72); «La espalda era una llaga viva» (p. 54); «a pesar del in-

fierno en la espalda» (p. 73); «el infierno estaba en su espalda» (p. 72); «El cuadrado de luz» (pp. 59, 73) «Aunque no era un cuadrado exactamente» (p. 67); «el cuadrado de luz (que ya verdaderamente no era un cuadrado)» (p. 71); «El cuadrado de luz (y ahora era exactamente un cuadrado)» (pp. 73-74); «el mostrador» (p. 63); «el tamarindo» (pp. 60-61) (recuérdese «el tamarindo» de *La mirada*) (p. 20); la «estampa de San Gabriel» (p. 64); y finalmente, «el gramófono automático» (pp. 65-66). Imposible ofrecer aquí nuestra interpretación de tales frases, imágenes y símbolos. La comparación entre «sol» (p. 60) y «bombillo» (pp. 60, 73) sirve para definir episodios parecidos a los que encontramos en *La mirada*.

Nos interesa destacar lo particular del papel del gramófono automático. Ofrecemos primero un texto:

> —Mañana.
> —Ni hablar. Tengo otras ofertas .... ¡Clic!, hizo la mano de él. Y, como por magia o por milagro, allí estaba la hoja fina, larga, reluciente, ¡tan linda! ....
> —Mañana.
> *Amor, cuidado con la vida,* advirtió quedamente el gramófono.
> —Está bien —contestó la mujer de rojo (p. 66).

Este tipo de encabalgamiento se observa con frecuencia en la narrativa de Marqués en las situaciones en que la vellonera interviene terciando en los diálogos. Se ve lo decisivo que es para la comprensión del lector una tipografía diferenciadora, ya que son muchas las voces que intervienen sin ser identificadas.

Primero es importante decir que este cuento se divide en once partes o pequeños capítulos. Aunque su orden no es lineal, lo esencial es que hay indicios del paso del tiempo, indicios de que la niña de trece años ha crecido. También nos interesa llamar la atención sobre la forma en que Marqués indica el transcurrir del tiempo para su personaje:

> Después fue a todas horas. No sólo de noche: tras-tras. Y ya no sentía las horas, no sentía nada; ni el día ni la noche, ni los cuerpos, ni los ojos (oblicuos, rasgados, redondos), ni su propio cuerpo en movimiento (más, más, más), ni la vellonera distante: *Amor,*

cuidado con la vida..., ni las voces, ni los ruidos, ni la voz:
—¿Cuánto? (p. 68).

Fácil nos parece demostrar que el personaje central dentro de
sí estaba detenido en el tiempo, mecanizado para los fines de
una sociedad deshumanizadora.

Es nuestra opinión que este cuento es ejemplar en todo lo que
atañe a su organización y que es el mejor logrado en lo que se
refiere a los recursos retóricos estudiados aquí: la repetición
como leitmotif (del gramófono) y la retención u ocultación de
datos a los lectores. Al que lee el cuento se le exige desentrañar
y recomponer los datos anecdóticos. Nos parece acertado también que este cuento tenga una cierta intención antidoctrinal.
Basamos la opinión en el uso del lenguaje religioso preceptivo,
sobre todo en los momentos en que al personaje se le vienen las
palabras: «*Protégeme, San Gabriel*» (p. 72). Tal ironía nos parece una acerba censura que condena un sistema doctrinal contraproducente. Al comentar este cuento, María Teresa Babín dice
que René Marqués

> revela el dominio adquirido de la técnica narrativa .... está escrito
> en una prosa riquísima en matices y sugestiones. El cuentista ha
> creado el estilo justo para el difícil y extraño tema de prostitución
> que vamos viviendo al ritmo de su prosa con angustioso embeleso [24].

Nosotros al usar aquí la expresión «sistema selectivo literario», nos referimos a tropos como los «matices» y las «sugestiones» y a la palabra «ritmo», todos los cuales llegan a evidenciar
una preferencia por lo elegante plasmada de forma imaginativa
y orgánicamente singular. Esta poetización del tema se consigue
con el uso de términos musicales: «compás», «ritmo», y en repetir imágenes y sonidos, por ejemplo, «el cuadrado de luz», «tin-
tin-tilín». Igualmente, se logra reiterando símbolos y frases como
«el tamarindo» y «los pasos se alejaron pesados», y en el uso de
una metáfora, «La espalda era una llaga viva», y con un hipér-
bole, «el infierno estaba en su espalda», así como empleando voces que crean ambientes: «bombillo», «mostrador» y «el gramó-

---

[24] María Teresa Babín, *Panorama de la cultura puertorriqueña* (New
York; Las Américas Publishing Co., 1958), p. 426.

fono automático». La preferencia que tiene René Marqués por estos recursos forma parte de su sistema selectivo literario, el cual, por motivos que explicaremos más tarde, tiende a ser elegante y hasta elitista.

Parte cuarta: La mirada, *novela de énfasis artístico; la exhibición de símbolos; la ambivalente identidad puertorriqueña; raza, lenguas y la erudición marquesiana; tratamiento de rasgos característicos de personajes.*

La segunda novela del autor es *La mirada* (1975). Es mucho más corta (100 pp.) que *La víspera del hombre* (287 pp.) y de aspiraciones más limitadas. Lo que predomina en *La mirada* es la síntesis artística basada en «el uso afortunado» del símbolo, ya comentado al referirnos al René Marqués teórico. Se destaca también lo sicológico y la artística estructuración de la anécdota. Creemos, además, que *La mirada,* aunque tiene rastros de una historia épica, parecida en parte a *La carreta,* sólo logra méritos de cuento largo cuyo valor reside principalmente en su arte literario formal. Es, de toda la narrativa, de Marqués, la obra más explícita en lo que se refiere a lo sexual. El lenguaje a veces resulta obsceno. Tanto es así que el autor incluye, como introducción, la carta que le envía el ministerio de Información y Turismo exigiéndole la «supresión o modificación» [25] de lo que corresponde a las páginas 79 y 80 (64 y 65 de la publicación comentada aquí). *La mirada* fue novela finalista del concurso del Ateneo de Sevilla, 1974. El epígrafe es éste: *Es lo propio del hombre como hombre, dirigir su mirada hacia el fundamento de la verdad. La verdad siempre existe en él y para él mediante un lenguaje, por oscuro y rudimentario que éste sea,* Karl Jaspers (p. 5).

Es de verdad sorprendente la forma en que esta novela se estructura sobre el epígrafe. A diferencia de otras obras aquí analizadas, dicha estructuración tiende a seguir más una línea

---

[25] Ministro de información y turismo (España), citado en René Marqués, *La mirada* (Río Piedras: Editorial Antillana, 1975), p. 9. Todas las citas usadas en el presente estudio se toman de esta edición.

artística que una línea anecdótica o ideológica. Si bien el personaje central busca el fundamento de la verdad, nos consta que
es «La mirada» (p. 11), «una mirada» (p. 67), «su mirada» (p. 44)
y «esa mirada» (p. 91) que se nos presenta en tantas partes de
la novela lo que puntualiza la intención artística del autor y que
eclipsa esa «búsqueda».

La mirada la hemos clasificado con «La hora del dragón»
como obra existencialista de tipo ambivalente por su desenlace
ambiguo.

El resumen de la idea enunciada en el epígrafe toma la siguiente representación literaria:

> Lo primero fue una figura solitaria un día cualquiera, a media
> mañana .... Y sintió la urgencia de la mirada. ¿La suya? !La de
> otro? No importa sino la urgencia. Se irguió y se volvió lentamente,
> a pesar de ésta, de la urgencia. Allá muy abajo en la relativamen-
> te pequeña cuenca playera de mar imposible, sobre la arena desde
> allí tan lejana, vio la figura. Aunque sin sexo, claro está, así a la
> distancia (p. 11).

El personaje central es un hombre joven puertorriqueño que
sólo se conoce como el hijo de los Atridas, o el «Atridas dorado»
(p. 72). Se observa que en los cuentos no se nos dicen muchas veces los nombres de los personajes, pero que no se nos diga
el nombre del personaje central en una novela nos parece raro.
De no saber el lector que este hijo de los Atridas es más un
tipo de isleño representativo que hombre de carne y hueso,
la omisión de su nombre podría ser una falta mayor.

Habitante de Alto del Monte, un pueblo cerca del mar, el joven Atridas asiste a la universidad en Río Piedras, en la cual
sólo aprende que el ruido escandaloso, constante, y la superfi-
cialidad de los alumnos y los crímenes, y el ron, la cerveza, la
marihuana no hacen más que aburrirle y fastidiarle. En Alto
del Monte le llamaban en guasa el «intelectual» (p. 18). Es buen
conocedor de la mitología griega. Un día, mientras leía la leyenda de Cronos

> sintió la incomodidad de una mirada fija, persistente. Alzó la vista
> y le vio sentado en el rincón diagonal opuesto, cerca de la puerta.
> No le había oído ni visto entrar, pero estaba allí mirándole con su
> mahón azul devaído fingidamente haraposo, aunque el rostro con

barba larga, patillas y bigote caído se veía limpio en su parecido a Cristo .... Alzó los ojos y no lo vio ahora (p. 19).

Sólo hemos escogido para la crítica los momentos esenciales de la anécdota y los momentos cumbres del arte literario de esta obra.

La nena, el más importante personaje secundario es su sobrina su historia no la conocemos hasta el capítulo diecisiete, en el cual se nos explican las circunstancias de su nacimiento y llegada a la casa de sus abuelos.

Para leer y meditar el joven Atridas acude siempre a la sombra del tamarindo que hay en la finca, y allí se oye el siguiente diálogo: «—¿Voy contigo? —No .... Te he traído varios libros. Busca uno y aprende. Anda, linda, anda. Le revolvió el pelo cariñosamente y salió seguido por la mirada de los ojos verdes» (p. 20).

Así empezamos a ver la relación que irá desarrollándose. La indicación de que será amorosa asoma cuando el joven Atridas sale del baño no llevando encima más que una toalla, y entonces la nena «de un tirón súbito haló la toalla y lo dejó en cueros. —Feo, feo, feo —cantó en sonsonete» (p. 21).

Más tarde el joven se muestra como protector al decir que ella no podía ir a la universidad por creer él que ésta echaba a perder a la juventud.

El joven toma una decisión, la de no seguir con sus estudios universitarios. Su padre le dice que «será otro bruto» (p. 26) (como él), pero el hijo lo convence de que es mejor que él se quede en casa y ayude en la finca.

Luego su padre le pide que vaya a Washington a ver a Humberto, su hermano. El joven no quiere pero accede. Al llegar se asombra y se enoja porque Humberto está haciendo creer a todos que él (Humberto), Manuela («Molly»), y sus hijitos son chilenos y no puertorriqueños. Se nota una falta de respeto y de cariño filial entre los hermanos. Humberto trabaja para un senador negro. En una fiesta «el bilingüismo añadía una nota discordante, casi cómica ... con el 'vos' y el 'yyyo' destallantes entre anglicismos y términos ininteligibles» (p. 33). Una aventura con una mujer promiscua americana hace resaltar que «Washington is a crazy city. And very dirty and very rotten»

(p. 39) y que el joven Atridas se siente ligado de una forma estrecha con la nena de la finca en Puerto Rico, puesto que no pudo procurar el gozo sexual con la americana porque «pensó en los ojos verdes ... como mirada agónica en el rostro infantil de la nena» (p. 39).

Al volver al Alto del Monte les mintió a sus padres diciendo: «Los nenes saben algo de español .... Además de 'fire-place', tienen 'swimming-pool', papá. Suerte grande que le cayó a Humberto» (p. 48). Más tarde se retiró a la sombra del tamarindo y «se detuvo junto a la piedra, estupefacto ..., no podía creer lo que su mirada abarcaba allá abajo en la playa» (p. 44).

Su padre y Julito le explican que se trataba de una intromisión o invasión de gente joven foránea. La playa, su amada playa, se convertía en «una baraúnda sucia, inmunda» (p. 46), en una «hijadelagranputería» (p. 46). Se entera de que los forasteros tenían Yerba y LSD.

El joven Atridas, su padre, Julito y otros más convienen en asaltar, y matar si es necesario, a esa gente perversa. Entre la gente intrusa hay una mujer, «la de los ojos verdes» (p. 46).

En esta coyuntura de la narración se intercala la historia de Carlos, el hijo mayor de los Atridas y de la bailarina americana, su esposa, que eran los padres de su sobrina, la nena. Pero el joven volvió a pensar: ¿qué ocultarían aquellos inocentes ojos verdes? .... ¿No recordaría algo de aquel ya lejano horror ... que había vivido durante la aparente inconsciencia de una mera bebita?» (p. 51).

En la víspera del día señalado para atacar a los invasores de su playa, el joven Atridas observa al grupo y le parece «un cuadro de paz o por lo menos de tranquilidad» (p. 52) y quiere saber «¿dónde estaban las 'mamarrachadas' ...? 'Love' y 'Peace'. ¿Tendrían verdadero sentido aquellas palabras para esa gente extraña?» (p. 52). Y pronto la mujer le dice: «—Toma una, es aliento» (p. 53). (Es una pastilla de droga alucinadora.)

La mujer le ofrece también un libro con la ilustración de un pequeño hongo. El libro era *The Sacred Mushroom and the Cross* de John Allegro. Al joven le parece algo fálico la ilustración. Luego se fija en una figura en taparrabos y blanco y le sorprende el rostro, ya que es el del presunto estudiante que había, visto un día en la universidad, cuando corregía sus notas para un informe sobre el mito griego de Gea, Urano y Cronos. El estudiante tenía los ojos verdes. «Era Gea, sin duda» (p. 55). Es precisamente aquí donde la droga L. S. D. comienza a surtir efecto. La alucinación resulta fuerte y extraña, y luego hay una lucha entre la gente de la comuna y los de Alto Monte: Julito, el padre y otros que llegan a proteger al joven Atridas a quien todo le parece llegado de un mundo irreal.

El siguiente episodio ocurre en la cárcel. Julito y el joven Atridas están allí y varios personajes de la comuna también. Un negro le cuenta al joven la historia de la comuna. Sobre todo le habla de Sem, el «líder» y de cómo él mismo había trabajado para la comuna en un «night-club». Hacía el papel de dios negro en cueros «mientras una bailarina pelirroja» (p. 61) fingía adorarle. Le dice que la bailarina, según supo, «se fugó con un griego que era amigo del marido» (p. 61). La bailarina en cuestión, según el negro, tenía los «ojos verdes, muy grandes» (p. 61). El lector ya fácilmente la identifica con la información del capítulo 17 sobre Carlos Atridas y su esposa. El joven, sin duda, también sabe que la nena es hija de la bailarina. Aquí nos preguntamos si no es demasiado fortuito todo esto.

Sigue el episodio de la orgía sexual forzada, un rito que se realiza con «ritmo unísono» (p. 65) entre todos mientras se oyen frases bíblicas tales como: «¡Padre, padre mío! ¿Por qué me has abandonado?» (p. 65) y «Mujer, he ahí a tu hijo» (p. 66).

El rapto del joven Atridas es el siguiente episodio. Después que Julito le vuelve a ofrecer las pastillas, los dos las toman, se miran y esperan. Sus secuestradores mandan a una mujer para que amenace a la madre del joven Atridas con la muerte de éste si ella no les envía un millon de dólares. Al joven Atridas le cortan los genitales y se los mandan a la madre quien, al abrir la caja dorada en que están envueltos, se aterra y se cae de la baranda y, como «una muñeca rota, silenciosa y grotesca» (p. 80) yace inerte sin haber leído lo escrito en la caja: *Justicia cumplida; destino implacable* (p. 80).

Quedaba el padre, viudo ahora, con la pregunta para su hijo: «¿Qué vamos a hacer sin ella?» (p. 83). El hijo le contesta: «—Vivir, papá, vivir» (p. 83). Nos recuerda el consejo que Félix le dio a

Pirulo al final de *La víspera del hombre*. Pero en este caso es
un padre el que toma la decisión de vivir y de casarse y rehacer su hogar, a diferencia de lo que pasa en *La víspera del hombre*.
El joven Atridas, Julito y la nena de los ojos verdes, que ahora se llama María, suben al *Toyota* y el joven grita «—Old San
Juan, here we come!» (p. 86). En el Café-Teatro ven la representación de un drama cursi destinado a burlarse de los *yankees*.
Al joven Atridas no le molesta que se haga burla de los yankees;
pero que la burla no esté bien realizada, que no tenga la debida
calidad teatral, eso sí que no le gusta. Aquí otra vez insistimos
en que la cultura del personaje es mucha, y nos parece que el
autor la exhibe demasiado, por lo que los lectores fácilmente
nos damos cuenta de que son juicios del autor, del René Marqués
dramaturgo. El joven Atridas sale luego con María, quien en otro
bar le dice que Julito y ella tuvieron relaciones sexuales bajo el
tamarindo. Sinatra canta en el gramófono automático «*Strangers
in the night, exchanging glances...*» (p. 91) mientras el joven se
declara: «Te quiero, María, te quiero como *no debo* quererte.
Pero *te quiero*» (p. 92).

Más tarde en el Polaris hay un incendio en que mueren Julito y María. El joven vuelve a su casa y antes de despedirse de su
padre entra en la alcoba de María y en la de él y, «¿Y qué?
Mierda todo. Puerto Rico seguía siendo colonial .... No se lle-
varía nada de allí. Ni siquiera la bandera de Lares que era la
que más cerca estaba de su corazón ....» (p. 99). Al irse de Alto
del Monte «volvió su mirada .... Era la mirada. Aquella que para
siempre grabaría en su corazón .... No percibió, sin embargo,
la figura que había estado apoyada en un grueso espeque y que
ahora empezó a seguirle en silencio» (p. 100).

Por esa fecha un cometa había de pasar por el cielo.

> Pensó que él también había sido sólo un cometa girando breve-
> mente sobre lo Alto del Monte para consumirse al fin .... Vio el
> cometa .... Pero Sem, sin detener sus pasos silenciosos y segui-
> dores, vio algo más. Porque la cola del cometa dibujaba, con ca-
> racteres perfectamente legibles las palabras ya sabidas: *Justicia
> cumplida, Destino implacable* (p. 100).

El personaje central, el joven Atridas, nos parece un ser cuya
mirada se dirige hacia sí mismo, «el fundamento de la verdad»,

la idea enunciada en el epígrafe. Se hace la pregunta más típicamente existencial: ¿había sido él también un cometa sin otro fin que consumirse en un destino ciego? Karl Jaspers, autor del epígrafe, habla de cómo «La verdad siempre existe en él [el hombre] y para él mediante un lenguaje ...» (p. 5). ¿Será su verdad ese destino ciego?

La mirada constituye la exteriorización verbal de una de las experiencias más inescrutables del hombre, a saber: su capacidad de ser atraído —siendo curioso por lo desconocido— y su incapacidad para comprender lo que ha hecho después de actuar sobre la atracción. Así vemos que cualquier valor o significado que el joven Atridas le dé a su vida, resultará arbitario y nunca absoluto.

Esta novela es existencialista por excelencia y los personajes todos desarrollan, de una manera u otra, al buscarlo, el significado de su vida. Hemos juzgado esta obra ambivalente de acuerdo con el modelo «La hora del dragón». El autor, según creemos, muestra la vía positiva que sigue el padre y la vía incierta, dudosa, que toma el joven Atridas. Aquél dispuesto a rehacer su hogar y éste, aunque poseedor de muchos conocimientos nuevos, sin rumbo fijo. Su futuro no se vislumbra bien.

La sensibilidad, el interés del autor por lo puertorriqueño, se manifiesta en *La mirada* por la acerba censura hacia lo que pasa en Washington, y hacia el Humberto que quiere negar su identidad racial y nacional (¿Por no ser nación Puerto Rico?). Tamara Holzapfel comenta detenidamente este tema de la identidad en su artículo «The Theater of René Marqués: In Search of Identity and Form» [26]. Nos conviene afirmar que tales trabajos, y son muchos [27], que se han escrito sobre este tema, establecen la importancia y la precisión de nuestro método de análisis en este estudio. Humberto es un «fake» (p. 41).

Está mal motivado el episodio de la americana que seduce

---

[26] TAMARA HOLZAPFEL, «The Theater of René Marqués: In Search of Identity and Form», *Dramatists in Revolt: The New Latin American Theater* (Austin: University of Texas Press, 1976), pp. 146-66.

[27] Véase el estudio, por ejemplo, de RALPH O. McLEOD, «The Theater of René Marqués: A Search for Identity in Life and in Literature, Diss., University of New Mexico, 1975. Véase también a RONALD C. FLORES, «The Spector of Assimilation: The Evaluation of the Theme of Nationalism in the Theatre of René Marqués», Diss., Penn State University, 1974.

al joven Atridas. Esta le pregunta: «¿Are you for Allende in
Chile?» (p. 39) y después: «Have you noticed how many Chileans
in exile are guests here tonight?» (p. 40) y luego comenta: «That
could be one of the many dirty businesses your dear, dear bro-
ther is involved in» (p. 40). La mala motivación más que nada
obedece a la falta de desarrollo de la mujer que le dice todo
esto. Claro está que en ese juego las cosas marchan rápido, pero
ella no parece mujer de carne y hueso. ¡Zas!, la vemos. ¡Zas!,
¡se va! ¿Cómo puede el hermano de Humberto quedar enterado
de todo? Lo cierto es que esta mujer no le ha dicho nada que no
sea especulación generalizada en casi todos los niveles de la sociedad norteamericana y poco se semeja a una información se-
creta. Tenemos la idea de que René Marqués desea impresionar,
y la hubiera logrado si la información fuera más substantiva, y la
caracterización menos superficial.

La intención instructiva y modalidad patriótica del autor se
nos aparece también cuando un conferenciante, ex estudiante de
historia que hablaba de Yukiyú y Juracán y de Borikén, tuvo
poca aceptación entre los reos. El confereiciante se puso a enseñar español. «Y asignó la novela *La víspera del hombre* de
René Marqués. Pero en ella, incidentalmente, se hablaba de un
hombre 'trigueño llamado' 'Albizu', y eso era subversivo» (p. 59).
Opinamos que el autor nos brinda una ironía feliz. El motivo de
tal referencia (Marqués a Marqués) parece ser llamar la atención sobre el autor, lo cual le podría inquietar al lector por parecer antiartístico. Pero si se desecha ese motivo como el primero, se llega a otros aparentemente de menos valor, pero en el
fondo más estimables, como por ejemplo, la verdadera importancia histórico-cultural y literaria de *La víspera del hombre*.

Ya se comentó lo del café-teatro El Batey donde siempre gri-
tan «¡Me cago en los Yanquis!» (p. 83). La escena tiene lugar
entre un yanqui imperialista y una mujer «la pobre colonia»
(p. 87) que él violó y que después les hace gritar a todos: «¡Yankees, go home! (p. 87) y «¡Viva Puerto Rico libre!» (p. 87). El
joven Atridas se burla de la mala técnica del drama, de los «es-
casos recursos» (p. 87) y de la música que «no era adaptable *a
nada*» (p. 87). La nena, María, en el desenlace le critica al joven
Atridas:

Tú te acostarás con una norteamericana promiscua para sublimar tu impotencia de independentista en la colonia .... Y te sentirás muy macho en el orgasmo, si lo logras. Pero seguirás siendo un pendejo independentista que se conforma con hacer 'teatro revolucionario' atropellando públicamente a una mujer» (p. 91).

Algunos críticos advertirán en esto la inteligencia siempre vigilante de René Marqués, quien simpatiza con muchos personajes femeninos en su narrativa, aunque con otros no.

La mirada no presenta superaciones en la voz narradora. No tiene logros notables en la estructura del material novelable, excepto la intercalación de la pequeña historia de Carlos, su esposa, la bailarina y la nena. El «disparatado poliglotismo» (p. 75) de los de la comuna, que hablan en cuatro lenguas, sólo nos indica el desprecio del autor por cualquier exhibición de mal gusto de la cultura superficial que presuma de verdadera cultura.

Hay una nota pro-americana, indirecta, en dos pasajes de esta obra. Se refiere a los 4-H (Heart, Hand, Head, Health) y nos llama mucho la atención por ser tan rara. El padre le dice a su hijo (Atridas): «Aprendiste mucho en los 4-H» (p. 68), refiriéndose a un plan positivo originado en Estados Unidos para mejorar la agricultura y la ganadería; un sistema, en fin, destinado a promover el bienestar entre los jóvenes que participan en él.

Estimamos que *La mirada* acusa defectos de tipo antiliterario. Por ser una novela corta es difícil que el autor introduzca mucho su erudición o que exhiba sus conocimientos sin dejar la impresión de que está haciendo alarde de ellos, que en vez de servir de fondo, o de apoyo estructural, parezca ostentación. En cambio el *mixed-coding* del diálogo entre Humberto y su hermano está muy bien logrado:

—¿A qué viene eso, godammit?
—¿Por qué me presentaste a tu vecino como un 'distant relative'?...
—Aquí están las servilletas que querías.
—Thank you (p. 32).

A pesar de este *mixed-coding* bien logrado, los trozos que siguen indican el tipo de comparación hecho con frecuencia en esta novela que incurre en alarde de erudición. La voz omnisciente narra lo que se supone son pensamientos del personaje central, por ejemplo:

«Sólo el senador era negro, e inexplicablemente, siempre rodeado de rubias sinuosas que hubieran hecho palidecer a Mae West en sus buenos tiempos» (p. 33). Otro trozo en que hace una comparación parecida es la escena teatral: «y que él [el autor] aprovechó para castigarla a ella y no precisamente el estilo del último tango de París» (p. 87). Otros son: «Se incorporó, apoyó un codo en la almohada e imitándola, inhaló profundamente. Hizo una mueca casi chaplinesca y tosió devolviéndoselo» (p. 38). «Cocacolas por doquier, basura en pilas, restos negruzcos de hogueras de leña ... cenizas y una reducida humanidad liliputiense» (p. 44). «Era curioso. Así, como transformada, parecía casi bella. No con belleza clásica, sino un poco a lo Dolores del Río ....» (p. 53); éste que indica lo que había en el propio cuarto del personaje central: «y caricaturas satíricas de Homar y pasquines políticos de Martorell, y grabados de Tufiño y un óleo de Carlos Rivera. Y recortes de los semanarios revolucionarios *Claridad y La Hora*» (p. 99); y por último, «y que no entenderían ni Marx, ni Lenin, ni Mao, ni siquiera Fidel, con ser el más jesucrísticamente latino de todos ellos. Sólo Allende, quizá» (pp. 98-99).

Al comentar la falta de correspondencia entre el carácter juvenil de Pirulo *(La víspera del hombre)* y las ideas que le superpone René Marqués, ya hemos citado la observación crítica al respecto de José Emilio González, la cual se puede aplicar también a los siete trozos acabados de reproducir. José Emilio González insiste en que «René Marqués sí intuye adecuadamente el orbe psicológico de sus personajes, pero a veces «superpone su propio punto de vista de autor» [28]. En estas siete citas lo que descuella son los vastos conocimientos de René Marqués sobre el cine internacional, el arte de la pintura, la política, y la literatura universal. Esta pequeña novela rebosa de indicios de tal erudición, ¿demasiada? Veamos:

El joven Atridas: conocedor de la agricultura y partícipe de los 4-H, lector y estudioso de la mitología clásica, presunto revolucionario, crítico de teatro, partidario, aunque no activo, de la política tipo Allende, y así sucesivamente. Total, el joven

---

[28] José Emilio González, *El Mundo,* San Juan, Puerto Rico, 26 de Dic. de 1959, p. 19.

Atridas toma la configuración psicológica de un puertorriqueño muy maduro, cuyas semejanzas con René Marqués saltan pronto a la vista. Se comprende que la voz omnisciente no tiene que corresponder a lo que pueda o no pensar el personaje, pero una y otra vez nos llevamos la impresión de que se presentan estas observaciones como si fueran pensamientos del personaje. Por lo tanto son antiliterarias si el presonaje es un hombre demasiado redondeado en todos los aspectos de su carácter y por lo mismo inverosímil.

Aquí también oímos de gramófonos, velloneras, y de dioses taínos, de contrastes entre la cultura latina y la anglosajona, sobre el significado de las palabras *«Peace»* y *«Love»*. El énfasis artístico se pone en la cabal explotación de símbolos, siendo el primero el del lema «la mirada» (pp. 11, 60, 100) y luego los del «tamarindo» (pp. 67, 100), «Sem» (pp. 60, 100) y «los ojos verdes» (pp. 17, 47). ¿«Sem» provendrá de semilla? De ser cierto esto, se reforzaría el énfasis en estos símbolos. Predominan estos cuatro por relacionarse entre sí y por tejer la historia que se elabora con ellos «mediante un lenguaje», tal como indica Karl Jaspers y tal como lo plasma Marqués en la narración.

Opinamos que *La mirada,* aunque fue novela finalista en el Concurso del Ateneo de Sevilla en 1974, no es sino una obra mediocre en comparación con las obras buenas y excelentes de René Marqués. Señalamos como defecto principal de ella la falta de correspondencia verosímil entre los personajes y su situación y la ausencia de una historia que alcance perspectivas y que nos proporcione datos que completen mejor el verdadero relieve histórico-cultural de los ambientes de Alto del Monte y de Washington. La síntesis que busca siempre Marqués se logra aquí, pero resulta contraproducente y no está a la altura de la de sus cuentos largos, donde la síntesis es aún más necesaria.

Charles Pilditch, un verdadero experto en René Marqués, ha dicho que *La mirada* podría ser la más poderosa de las obras del autor. Nosotros discrepamos de esa opinión. Sin embargo, y como queda aseverado en la parte anterior de este análisis, nos parece obra valiosa sólo por algunos de sus aspectos formales. José Emilio Pacheco expresa nuestro parecer al respecto cuando comenta *En una ciudad llamada San Juan:*

En un aspecto puramente literario, Marqués es dueño de todos los secretos de su oficio. Nada de lo probado por la novela contemporánea parece serle ajeno . El monólogo interior, la alteración del tiempo narrativo, todo lo que pueda acudir en apoyo de su estilo para darle la máxima eficacia está adecuadamente usado en estas páginas. A Marqués le duele el mundo y sufre los sufrimientos de su pueblo: pero ese dolor,esas furias y penas del puertorriqueño, están elevados, sin desmedro de su veracidad, a un plano también vivo, esencialmente artístico [29].

La palabra «elevados» que usa el crítico representa bien la idea que proponemos aquí. En «Dos vueltas de llave y un arcángel» vemos cómo el aspecto formal viene haciéndose menos realista, menos fotográfico. Se hace más «elevado», lo cual supone un intelecto genial apto también para la concepción poética-intuitiva de que hablamos y que establece también el elitismo. Así *La mirada,* por obscena que sea, demuestra también en parte esta misma aptitud, porque en ella observamos el despliegue de símbolos e imágenes y cultismos que son del todo indicaciones de un elitismo único, el marquesiano.

---

[29] José Emilio Pacheco, citado en Charles Pilditch, *René Marqués; a Study of His Fiction* (New York: Plus Ultra Educational Publishers, Inc., 1976), p. 54.

III. LA NARRATIVA EXISTENCIALISTA DE TIPO NEGATIVO

Parte primera: «El miedo», obra modelo para los relatos negativos; penetraciones en la angustia existencial particular de los puertorriqueños.

Si bien *La víspera del hombre* representa una esperanza para el futuro de Puerto Rico, «El miedo» en cambio refleja un estancamiento de espíritu para el destino del país y para el hombre universal y de ahí la calificación negativa, ya que la actitud del personaje, al final del cuento, sigue fatalmente sumida en el miedo rutinario.

El epígrafe del cuento es una cita de Pablo Neruda: «*Abandonado como los muelles en el alba; sólo la sombra trémula se retuerce en mis manos*» [1].

Un resumen del cuento incluye la siguiente información: El personaje principal, cuyo nombre no sabemos, viene tambaleándose por la calle, enfermo del alcohol recién tomado, pero esta situación se ha repetido infinidad de veces. «Era una costumbre» (p. 184) beber solo. Siempre estaba aterrado los sábados por la mañana «pensando en lo que le sucedería durante la noche» (p. 184). Y ahora ha llegado la noche. En el bar «Chico» lo observan y él se pregunta mentalmente qué querrán de él. El miedo que teme aún no ha tomado posesión de él. Tiene plena «conciencia de que su miedo era de raíz metafísica. Y se sentía aplas-

---

[1] RENÉ MARQUÉS, *En una ciudad llamada San Juan* (Río Piedras: Editorial Cultural, Inc., 1970), p. 184. Todas las citas sobre «El miedo» y «En la popa hay un cuerpo reclinado» se toman de esta edición.

tado .... y su miedo se complicaba al sentirse solo en aquella terrible angustia» (p. 186). En el bar se discute acaloradamente la situación política del país. Algunos son partidarios de la anexión y otros están a favor de la independencia. Pero él (nuestro protagonista) «en vez de indentificarse con la suerte de su patria, identificaba a ésta con su propia suerte» (p. 186). Pronto se arma una bronca y un borracho es golpeado sin piedad por sus contrincantes, que resuelven las diferencias políticas con la acción brutal.

Sale del bar y se dirige a su casa recordando que es domingo y que es «difícil dormir un domingo tranquilo teniendo por compañera de lecho a una mujer religiosa» (p. 188). Adela, su mujer, lo consuela siempre con su «hermoso vientre maternal. Pronto él ha de sucumbir al sueño y esto le aterraba ... nacer todas las mañanas para morir por las noches .... Era demasiada exigencia .... al despertar sentiría otra vez el miedo de tener que hacer un nuevo día en su vida» (p. 189).

La idea más intensa que se presenta una y otra vez en esta narración es que el personaje principal parece carecer de una actitud positiva, de una causa a que darse, o de un ideal que perseguir. «El miedo hacía presa de su ser» (p. 185). Adela se preocupa por cumplir con algunos votos religiosos: «Salvar el alma era una frase que también a él le había preocupado en otra época .... creyó descubrir que no tenía alma» (p. 188) y toda su vida era ya como un vacío de angustia ocupado sólo por una alegría: Adela, con quien, al final del cuento, inicia «el juego sexual» (p. 189) y hacia quien sentía gratitud, pero ni ésta« era un sentimiento extraordinario. Más bien, un detalle de la rutina» (p. 189).

En la comparación que Marqués establece entre el hombre, personaje principal, y la isla, resulta una semejanza agonizante, la de no saber «¿Qué quieren de mí? .... ¿No era suficiente la angustia de ser isla, de su soledad, de la incomprensión de dos océanos que aprisionaban sus horizontes?» (p. 187). El (como René Marqués) le tiene lástima a su patria y lamenta que «la invasión y colonización española» (p. 187) fueran «como un latigazo en el alma dormida de la isla. El asombro del despertar. La urgencia para incorporarse a un mundo ajeno. El desconcierto .... Luego, un nuevo latigazo ...., la otra invasión» (187). Ya vimos que la repugnancia que siente el autor por la segunda invasión es mucha, mientras que la que siente por la primera es poca.

Un examen del epígrafe nos revela que Neruda habla de algo de valor, algo significativo que se le evade al hombre. Es la sustancia de algo cuya sombra trémula queda y se retuerce en sus manos. El abandono que experimenta este personaje innombrado del cuento obedece a «no saber lo que se exigía de él en la vida» (p. 186). Esto «era la raíz de su miedo ... raíz metafísica .... Si era una ley implacable, ¿por qué no la sufrían los otros?» (p. 186). Se lo pregunta a sí mismo refiriéndose al miedo. El hecho de que no tienen nombres les resta aun más sustancia a estos personajes, haciéndolos menos reales, lo cual aumenta la impresión negativa de los lectores, pues los vemos no tanto ya como deprimidos sino como vacíos. La idea que domina en «El miedo» es la enunciada por el epígrafe. Esta idea ha servido de eje estructurador, y mediante la comparación hombre-isla, ya comentada, vemos que es otra vez el sentimiento del autor por su patria lo que se manifiesta intensamente. Pero en comparación con *La víspera del hombre,* este sentimiento aquí resulta negativo por falta de definición, y termina siendo en vez de afán por mejorar el futuro, noción filosófica o divagación sentimental, un reflexionar sobre el pasado (¿desconocido?) en el que la isla dormía en paz, lo cual no parecía ser el caso si tomamos en cuenta otras invasiones de que hablan los historiadores y antropólogos[2]. El autor parece lamentar algo perdido que forma el grano ideológico del epígrafe. Una y otra vez vemos cómo René Marqués da la impresión de que llora ese algo que no define. ¿Cómo definirlo? ¡Imposible! ¿Cambiar los hechos históricos? Aquí el

---

[2] AMÉRICO CASTRO, *Iberoamérica*, 4ta ed., (New York: Holt, Rinehart and Winston, 1970), pp. 36, 40. Américo Castro asegura que no todo les iba bien a los indios de América antes de la conquista. Otros muchos autores también hablan del tema del hambre, de la antropofagia, de las guerras internas y de las enfermedades. Entre los muchos que consultamos, los autores siguientes ya pertenecen a nuestra tradición literaria: Hernán Cortés, Bernal Díaz del Castillo, José Vasconcelos y Octavio Paz. Y en la tradición histórico-sociológica consultamos a Bernardino de Sahagún, a Mariano Picón-Salas y a Samuel Ramós, todos ellos nombres ilustres de fácil acceso bibliográfico.

autor no enumera valores personales ni culturales, ni hay ase-
veraciones políticas positivas; todo lo contrario, lo que hay es la
neurosis del hombre, su miedo, su falta de esperanza. Este hombre se halla rodeado de seres incapaces de resolver diferencias
de opinión si no es de modo violento o callándose cobardemente.
El Puerto Rico que se ve aquí apenas cuenta con esencias vita-
les; son más bien realidades pasivas o negativas. «La sombra
trémula que se tuerce» es la vida del hombre-isla carente ya
de cualquier intención personal positiva; no hay en él ni ideal
patriótico, ni luz filosófica, ni sueños, siquiera los más irreales para
su vida. Una crítica lo explica así, al referirse a los personajes
de «El miedo» y «La muerte»: «Son torturados por un miedo inde-
finible que les paraliza completamente la voluntad» [3].

Adela es el único personaje que se advierte positivo. Es fiel,
sufrida, amorosa, y piensa en su propia salvación; pero al fin y
al cabo es muy resignada en comparación con Juanita, a la que
conocemos en «Isla en Manhattan».

El aspecto formal de «El miedo» que mejor demuestra la técnica artística del autor es la voz narradora. René Marqués, como
en «La hora del dragón», crea aquí una tensión en el lector. Lo hace
describiendo paso a paso los movimientos del personaje, la situación
inmediata en que éste se halla, pero evitando cualquier detalle que
identifique siquiera el género del personaje. En «El miedo» la primera indicación del género del personaje es el adjetivo «apoyado» (p. 1984) y éste no se introduce, sino hasta el final del segundo párrafo. Sin embargo, los demás detalles son muchos y
anuncian algún suceso decisivo y central en la anécdota. Es la
acción *in medias res,* cuya relación, con lo que seguirá después,
se desenvolverá poco a poco, y como suele ocurrir en la cuentística de René Marqués, esa acción figurará como la crisis principal en la vida del personaje. Este aquí «pensó detenerse para
evitar que ocurriera .... Tuvo entonces la débil esperanza de
pasar bajo el bombillo sin que 'eso' ocurriera .... Era inevi-
table» (p. 183). Luego sabemos que se trata del momento justo
antes de vomitar. El suspenso es una característica de la téc

---

[3] Betty Rita Gómez-Lance, «Los cuentos de René Marqués», *Revista
Bimestral de la universidad de El Salvador,* marzo-abril, 1965, Vol. XC,
núm. 2, p. 98.

nica con que está elaborado el cuento y lo veremos complicarse más, aumentando así la curiosidad del lector. A este recurso le hemos dado aquí el nombre de «estratégica disposición del material» en vista de que la palabra «tensión», aislada, no comprende una aclaración del sistema estructural selectivo marquesiano.

Otro recurso de que se vale Marqués es la voz omnisciente, cuyas descripciones van llenando los vacíos referentes al carácter del hombre-personaje anónimo. Lo conocemos no por sus propias palabras, sino por las que la voz narradora le imputa. Nos indica que posee un complejo de culpa: «Era igual todos los sábados ... le había echado a perder la noche a Adela» (p. 184). Se nos indica también que se siente enfermo, pero vemos que no sabe cómo mejorar: «Se complacía en analizar todas las sensaciones físicas desagradables» (p. 184). Nos indica que se considera solo y único, y controlado por una fuerza mayor que él: «Tuvo la súbita certidumbre de haber sido arrastrado allí como un saco de azúcar o un fardo de tabaco .... ¿Qué querían de él?» (p. 185). «Media docena de miedos con una raíz común. Pero su miedo era distinto» (p. 188). «La inminencia del sueño, una especie de muerte pequeña y diaria, acrecentaba su angustia» (p. 189).

No hay diálogos en todo el cuento. La caracterización también se cuaja por un punto de vista omnisciente, que da siempre la impresión de que el hombre es verosímil, que tiene una individualidad adecuada. Es de hecho fascinante que un personaje literario como éste adquiera una configuración tan de carne y hueso, que la correspondencia sea tan sólida.

Nos parece que la comparación hombre-isla es eficaz, pero se repetirá tanto que puede restarle mérito a la narrativa de conjunto de Marqués. No obstante, en ciertos cuentos se repite con forma distinta que les agrega mérito literario. Nos referimos especialmente a «Ese mosaico fresco sobre aquel mosaico antiguo». La comparación hombre-(autor)-isla, la vimos ya en *La víspera del hombre,* «Mar-Pirulo ... tierra-Pirulo», y también en «El miedo» la observamos: «Y él comprendía la angustia de la isla lanzando de nuevo la interrogacción: '¿Qué quieren de mí?; Sí, ¿qué querían de ella?'» (p. 187).

La representación literaria de las ideas del autor ya comienza a manifestar contornos caracterizantes. Tanto es así que deseamos señalar ahora la manera en que emergen imágenes, frases, palabras y símbolos cuya fuerza es grande, incluso lo suficientemente grande para influir en las ideas. Opinamos que estas representaciones también limitan la vitalidad literaria del autor en cuanto que el lector las ve repetidas si lee muchas obras de Marqués. Nos referimos tanto a las imágenes parecidas a Mar-Pirulo, hombre-isla, las invasiones (española y americana), así como a palabras y frases que describen el ambiente; por ejemplo, el mostrador: la imagen de las botellas de ron en simétricas hileras; hileras simétricas de botellas («El miedo») y las botellas en el anaquel exhibiéndose con ridícula uniformidad; y unas luces de neón azul («La hora del dragón»), y el bombillo encendido que le irritaba («El Miedo»). Y del cuento «Otro día nuestro» la larga y antiestética torre de acero que emitía reflejos intermitentes; los reflejos hirientes, y gramófonos eléctricos («El Miedo» y «La hora del dragón» respectivamente). Sólo en este cuento («El miedo») el gramófono automático aparece tres veces con sus alaridos de mambo. Nos recuerda lo que ha dicho Seymour Menton sobre el momento literario existencialista que se nos está presentando:

> El hombre no hace más que existir. Nada tiene importancia. Las colillas y las luces de néon hacen las veces del cisne modernista. El argumento muchas veces no tiene un desenlace dramático. La obra consta de una escena de la vida urbana, casi siempre en una cantina de categoría regular, en la cual un diálogo inconsciente saca a luz la muralla infranqueable que existe entre los individuos [4].

Lo dicho por José Emilio Gonzáliez referente a «El miedo» califica también a los otros cuentos existencialistas de tipo negativo:

> Con 'El miedo' penetramos en una atmósfera existencialista. Su protagonista puede ser el mismo de 'La muerte' Siente miedo al día, a ese otro día nuestro, como empresa vital. El alcohol, la noche, y el sexo le sirven para engañar su miedo El tiempo es su

---

[4] SEYMOUR MENTON, *El cuento hispanoamericano*, Vol. II (México: Fondo de Cultura Económica, 1964), p. 10.

enemigo: un tiempo insensato que le exige ser sin proveerle las herramientas para que lluegue a ser [5].

En cuanto a los dos personajes centrales de «El miedo» y «La muerte» el siguiente comentario nos parece profundo y acertado:

> La preocupación de ambos protagonistas se concentra en la angustia de su propio existir y de su propia seguridad. Como ciudadanos son individuos irresponsables que prefieren refugiarse en sus adentros a enfrentarse a la realidad circundante. En las palabras de uno de ellos: 'La bandera, la revolución, la patria (no) tenían significado alguno' .... El de 'El miedo' estaba seguro de que 'el no saber lo que se exigía de él en la vida era la raíz de su miedo'. El protagonista de 'La muerte' soluciona su dilema convenciéndose de que si 'no podía evitar la muerte por lo menos podía aceptarse'. Entonces sintiéndose 'libre para escoger su propio destino' se lanza a 'salvar la existencia' por medio de la muerte misma [6].

Charles Pilditch cree que algunos personajes, como el central de «El delator» y el secundario, Miguel, de «Dos vueltas de llave y un arcángel», son uno mismo [7]. Este crítico, que nos parece experto en cuestiones de la unidad temática y la organización de la prosa marquesiana, también habla de semejanzas entre Adela y Yolanda en «El miedo» y «La muerte» respectivamente. Además de eso nos dice: «'La muerte' is acutally the continuation of 'El miedo'. At one time the two stories were one, but the author decided to change a few minor details and publish them separately» [8]. ¿Sería René Marqués el primero (1948) en trasladar sus personajes de cuento a cuento?

La cuestión de que los mismos personajes como «La principal» parecen presentarse en más de una obra es digna de un estudio extenso, el cual debe considerar también la aparición repetida de lugares, el de «Lares» entre otros. Estos forman parte del sistema selectivo literario marquesiano, que, como hemos visto, deja vislumbrar contornos caracterizantes tales como gramófonos,

---

[5] José Emilio González, *El Mundo*, 29 de Oct., 1955, p. 20.
[6] Betty Rita Gómez-Lance, p. 99.
[7] Charles Pilditch, *René Marqués. A Study of His Fiction* (New York: Plus Ultra Educational Publishers, 1976), p. 30.
[8] *Ibid.*, pp. 16-17.

hileras simétricas de botellas, mostradores, bombillos, el coquí,
y otros muchos. Pronto habrá todavía más, muchos más y veremos cómo con el tiempo parecen orientar sus ideas y el contenido de su narrativa.

*Parte segunda: «En la popa hay un cuerpo reclinado», retrato psico-
analítico del personaje acomplejado; el matriarcado isleño; el
perspectivismo y la eficacia múltiple de las onomatopeyas.*

En su cuento «En la popa hay un cuerpo reclinado» René
Marqués alcanza penetraciones psicológicas de las más amplias
y profundas que ha conocido hasta la fecha nuestra cuentística
hispanoamericana. Con razón mereció el primer premio del Ateneo Puertorriqueño para el Festival de Navidad de 1956. Conviene observar que formaron el tribunal Piri Fernández de Lewis,
Gustavo Agrait y Abelardo Díaz Alfaro, cuyo fallo fue unánime.
Es largo el cuento y lleva el epígrafe siguiente:

> Son of man,
> You can not say or guess, for you know only
> A heap of broken images, where the sun beats [9].

Esta cita se tomó de *The Wasteland* de T. S. Eliot y el cuento es
«de un gran impacto emocional» [10] y en él se presenta «el problema de la lucha entre lo masculino y lo femenino. El hombre
ahogado en una sociedad matriarcal anhela romper sus ama-
rras» [11]. Resulta interesante reproducir aquí algunas observaciones
del jurado en que este cuento fue premiado:

> Podría decirse que casi todas las escuelas literarias de los últimos
> ochenta años se hallan representadas en estos 63 cuentos (someti-
> dos al jurado); realismo, naturalismo, simbolismo, impresionismo,
> escapismo .... Demuestran los autores conocimientos de las téc-
> nicas narrativas modernas, prevaleciendo el *monólogo* interior, el
> *stream-of-consciousness,* la reiteración de elementos rítmicos, la
> síntesis de lo característico, la introducción 'in medias res', el

---

[9] RENÉ MARQUÉS, p. 95.
[10] PIRI FERNÁNDEZ DE LEWIS, *El Mundo,* 16 de Mar., 1957, p. 16.
[11] *Ibid.,* p. 16.

uso cinemático del diálogo y la pausa, la presentación fonética de lo hablado, lo autóctono como símbolo, la reacción de lo sucedido referido a la aplicación del propio suceso, la lengua soez y procaz a la lengua idealizada y poética como recursos estilísticos ... el jurado apuntó con extrañeza una serie de características semejantes (en los tres cuentos premiados): 1.º los tres protagonistas son suicidas; 2.º una actitud agresiva hacia la madre y a lo femenino en general; 3.º una visión sórdida de la realidad con una fijación en lo sexual; 4.º el uso de términos procaces [12].

En este cuento vemos todos los recursos acabados de mencionar menos la presentación fonética de lo hablado y lo autóctono como símbolo y el uso de términos procaces. La introducción *in medias res,* muy común en la narrativa de René Marqués, tiene algo particular que la separa, en general, de la narrativa nueva de nuestras letras. Ese algo lo hemos llamado aquí la estratégica disposición del material. Esta estrategia tiene por objeto ocultar o callar información relativa a los personajes para crear una tensión grande en el lector. Esa tensión se logra hurtándole al lector el género del protagonista y, la identidad de los personajes cuyas voces oye aquél. La fórmula *in medias res* empleada por René Marqués se combina con el desarrollo lento de la anécdota, que se narra de modo tal que es difícil comprender a veces el suceso inmediato porque se da preferencia al suceso como reacción y ésta refleja las interiorizaciones que a su vez resultan de circunstancias y hechos anteriores. La estratégica disposición del material anecdótico no sólo consta de la introducción *in media res,* sino también de la presentación progresiva, pero no continua, de los datos referentes no sólo al protagonista, sino también a los demás personajes. El lector se ve obligado, por lo tanto, a preguntarse qué pasa y quién habla, con respecto a los personajes que intervienen en los sucesos inmediatos. Asimismo se pregunta qué pasa y quién habla con respecto a las voces que oye en los diálogos recordados. El suceso inmediato es en realidad, y por lo mismo, un desenlace, el momento final de una larga crisis. La estructuración circular es la que concierta mejor para tal disposición del material. Ello obedece a que René Marqués teórico, siente predilección por presentar a sus personajes en momentos de crisis.

---

[12] *Ibid.*

Los jurados de los concursos bien podrían hacer hincapié en la fórmula epígrafe-narración, como recurso, que nosotros analizamos aquí, ya que nos parece de singular importancia en las obras de este autor. La fórmula idea-naración y el sistema selectivo para la representación literaria de «En la popa hay un cuerpo reclinado» siguen el pensamiento filosófico existencialista de tipo negativo. La cita de T. S. Eliot encierra el grano filosófcio esencial, que se va plasmando en este relato hasta su última frase. T. S. Eliot nos entrega esta imagen: «A heap of broken images, where the sun beats». La última oración de la narración de Marqués es la que sigue: «El alarido, junto al despojo sangrante, fue a estrellarse contra el cuerpo inmóvil que permanecía apoyado suave, casi graciosamente, sobre la popa del bote» (p. 107). Tanto la correspondencia visual de esta imagen como la idea de T. S. Eliot, son perfectamente adecuadas para el conflicto del hombre acomplejado. Este, a través de toda su vida, no encuentra sentido para su existencia, y lo define como: «*Porque ser hombre es tener uno sentido propio. Y ella* [su madre] *lo tenía por mí*» (p. 97). Su problema lo esboza así: «*exigiendo, de mí que no tengo la culpa de poseer lo que ella no tiene y nunca pedí a nadie. Sólo vivir tranquilo, buscando un sentido de mi vida. O angustiado, no logrando encontrarlo jamás*» (p. 106). Y la correspondiente idea filosófica, «*Son of man you can not say or guess*» (p. 95), que podía haber sido el numen del autor.

La cuestión del «Matriarcado puertorriqueño a la moda norteamericana» [13] merece un estudio amplio y profundo que investigue el por qué de tal matriarcado. Lo primero, si tal estudio ha de ser objetivo, sin duda alguna será definir la distinción que hay entre el matriarcado puertorriqueño a la moda norteamericana y el matriarcado parodiado en «Los funerales de la Mamá Grande» y otras obras que conocemos en nuestras letras hispanas. Sólo así podríamos asegurarnos de que la frase «a la moda norte americana» es justificable.

No podemos perder de vista la referencia que hace el prota-

---

[13] Fernando Alegría, *Autores contemporáneos hispanoamericanos* (Boston: D. C. Heath, 1964), p. 156.

gonista al «malestar privado» (p. 102), pero las opiniones referentes a la influencia del *Welfare System* varían mucho. Hasta dónde ha sido factor y hasta dónde el impacto de la cultura norteamericana en general hayan provocado fenómenos como el matriarcado de que se habla aquí, no estamos seguros. Existen algunos estudios al respecto. Emelicia Mizio trata el problema en parte en su artículo «Impact of External Systems on the Puerto Rican Family». Comenta el tema, así «The present commitment to democracy compared to traditional methods of power that prevailed in the colonial system», y concluye que «It remains rather amazing that ... the majority of Puerto Rican families have been able to make an adjustment to their new environment ...» [14]. Si esto sucede fuera de la isla, existe la posibilidad de que en la isla suceda lo mismo. J. Julián Rivera, al escribir «Growth of a Puerto Rican Awareness», insiste en «the Puerto Ricans' ability to preserve their identity and their culture in spite of many pressures, particularly in the United States» [15].

El argumento del cuento es el que sigue: El hombre acomplejado, personaje principal, le ha dado veneno a su esposa, ella está muerta, y su cuerpo, casi desnudo, se reclina en la popa del bote. El guía el bote remando despacio, lenta y rítmicamente, alejándose de la costa. Todo el material del cuento entre el principio y el final es la reconstrucción de la historia del personaje, que acaba por suicidarse. El conflicto del hombre tiene como eje las exigencias de las mujeres relacionadas con él, exigencias que son tantas y tan constantes que al fin lo llevan a un acto de rebelión violento y negativo. Vemos actuar así al personaje y él lo hace por su propia cuenta, lo cual le proporciona, al parecer, alguna satisfacción. En el monólogo dice:

> estoy aquí, gobernando la nave, yo, por vez primera, hacia el rumbo que escoja, sin consultar a nadie, ni siquiera a ti, ni a mi madre porque está muerta, ni a la principal ... ni a la alcaldesa ... ni a la farmacéutica ... ni a la doctora ... ni a todas las que exigen, y obligan, y piden, y sonríen, y dejan a uno vacío (p. 98).

---

[14] EMELICIA MIZIO, «Impact of External Systems on the Puerto Rican Family», *Social Casework* (Feb., 1974), Vol. 55, núm. 2, pp. 78-79.

[15] J. JULIÁN RIVERA, «Growth of a Puerto Rican Awareness», *Social Casework* (Feb., 1974), Vol. 55, núm. 2, p. 85.

En este cuento no hay ese afán del autor por llamar la atención hacia la causa independentista, ni tampoco encontramos una
sensibilidad por lo puertorriqueño. En la voz narradora, en cambio, sí hay una superación de gran valor literario que aporta a
la obra un perspectivismo significativo. Lo consigue mediante el
empleo de fragmentos de diálogos, onomatopeyas, e ingeniosos
desprendimientos en la voz narradora de unas palabras claves
o cauces. Representa, efectivamente, un logro inigualado en la
narrativa entera de René Marqués, aunque dichos recursos figuran también en otros cuentos, consiguiendo impresionar bien en
«La hora del dragón». He aquí un pasaje que ilustra bien lo que
deseamos analizar:

> —Mañana vence el plazo de la lavadora eléctrica.
>
> Cada remo hacía *chas* al hundirse en el agua y luego un *glu-glú*
> rápido, huidizo. Pero lento, angustioso, enloquecedor, saliendo de
> la incisión en la garganta del nene por el tubo de goma con olor
> a desinfectante.
>
> —Si se obstruye el tubo, muere el niño. *(El niño mío, quería decir
> ella, el niño que era mi Hijo).*
>
> Café negro y benecedrina. *Aléjate, sueño, aléjate.* Limpiar el tubo,
> mantener el tubo sin obstrucciones *Glú-glú,* al unísono, los remos
> saliendo del agua. *Glú-glú,* el reloj de esfera negra, sobre la mesa
> de noche.
>
> —Papi, mami está llorando porque se le quemó el arroz. *(Ay, se
> le quemó el arroz, otra vez se le quemó el arroz)* (p. 100).

La alternancia de voces es como sigue: 1. La de la esposa
recordándole, o la del hombre que se acuerda. 2. La omnisciente.
3. La de la esposa que es recordada por el hombre, quien recuerda o piensa por primera vez, seguida por lo que de él se
dice entre paréntesis y esto es un diálogo directo con el lector.
4. La del hombre que dice para sí «Café negro», que es una proyección o un monólogo interior. 5. La del niño. 6. La del hombre
por segunda vez, entre paréntesis.

Al pensar «lavadora» cada remo hacía «chas». Aquí la sugestión es el pensamiento que se convierte en sonido (chas), que va
seguido de «*glu-glú* rápido, huidizo», o bien puede ser que con

este constante «chas» de los remos, se le sugiere «lavadora». Está
tan bien lograda esta relación lavadora-remo-enfermedad que las
posibles explicaciones son muchas. Queremos llamar la atención
a la forma en que el relato, aquí, al llegar a la palabra «huidizo»,
cambia de tema, y la misma voz narradora, desprendiéndose
de esa palabra, agarra el tema del niño enfermo. Esto representa la libre asociación de las ideas. La palabra «huidizo» sugiere
lo de la enfermedad, «lento, angustioso, enloquecedor, saliendo
de la incisión en la garganta del nene». Entonces el *«Glu, glú»*
parece remediar el sonido del reloj de esfera negra. Este suceder
mental-material es también un logro excelente con las onomatopeyas que producen una monotonía para intensificar la relación
entre los sonidos que hace el bote y el que hace el tubo de goma.

La tercera voz que interviene es la de la esposa, que le indica el modo de cuidar al niño. Las palabras son el fragmento de
un diálogo recordado. Es como si el hombre estuviera repitiendo instrucciones que le dio su mujer o el médico, o los dos, o el
médico a ella; las posibilidades son varias.

Con «Café negro» comienza por segunda vez la voz narradora
proyectada en el hombre, y entonces interviene la voz del niño
que dice «Papi». Esa cuarta voz entre paréntesis representa lo que
piensa el personaje central, y es ésa la voz que a lo largo del
cuento reconstruye muchos de los antecedentes de la anécdota
inmediata. La voz del narrador, con el fluir de la conciencia,
hace lo contrario de lo que hizo hace un momento: El *glu-glú* del
tubo llega a ser el sonido de los remos en el agua, el cual, en seguida, se convierte en el del reloj de esfera negra. Lo que dice
el niño, claro está, es también un fragmento de diálogo recordado.

Lo que oímos después, *«Ay, se le quemó el arroz»*, nos permite
suponer que son palabras pensadas (no dichas) por el personaje
central. Puede que esté repitiendo lo que haya dicho su esposa,
que pudo haber sido: «Ay, se me quemó el arroz, otra vez se me
quemó el arroz». Eso es un posible antecedente.

Consideramos que el sistema de recursos selectivo nos brinda
esta sucesión de voces que aumenta el perspectivismo y sintetiza hasta lo máximo la historia que se ha abreviado en la anécdota inmediata. Tales combinaciones de tantas voces magistralmente mezcladas por sugestiones mentales y habladas, los en-

cabalgamientos y los diálogos desprendidos de efectos onomato-
péyicos y la artística intervención de la voz narradora, son recursos que tiene René Marqués en su narrativa. Es por esta alternancia de voces que hemos dicho que la tipografía constituye
un elemento esencial en la representación literaria marquesiana.

Al autor no le interesa aquí el panorama histórico cultural
aunque, sí, en una ocasión, el elemento políticosocial. Por ejemplo:

> *y ella insiste en que lo eche afuera para conservar el cuerpo bo-
> nito y lucir el traje nuevo (no ése, sino el último, el de la falda bor-
> dada en 'rhinestones'), si tan siquiera fuese para gozarlo (su
> cuerpo, digo), pero apenas me deja, con esa angustia de lo in-
> completo, y todo por no usar la esponja chica, como dijo la traba-
> jadora social de Bienestar Público que es en verdad* Malestar Pri-
> vado *o cuando no son aquello de no, me duele* (p. 102).

Causa risa el retruécano «Malestar Privado». El humor marquesiano es casi siempre amargo y lo tratamos más adelante con
detenimiento. Otros muchos escritores y sociólogos comentan el
problema del Bienestar-Malestar público, porque para algunos
expresa un sistema económico contraproducente. Carmen Lavandero se expresa al respecto:

> After endless years of stressing our poverty, no natural resources,
> a poor land where we have been taught that the only way to sur-
> vive is through the sterilization of our women, it is no wonder that
> we consider money the symbol that makes us equal, and material
> possessions the symbol of security .... We are afraid to walk
> without help; afraid to fix our goals .... As a sad example of
> how we have absorbed this attitude, one of our 'liberal' figures ends
> one of his books saying: 'Our society is not yet ready to produce
> or even tolerate a new institution which would respond to its true
> needs' ... even when we foresee a possible solution [16].

Otros recursos de interés que también responden al sistema
selectivo del autor son el uso oportuno de metáforas, la reiteración, lo rítmico, y algo especial: la enumeración. Expondremos
un solo ejemplo de cada uno de estos recursos:

La metáfora del bote inspirada en *The Wasteland* de T. S. Eliot

---

[16] CARMEN LAVANDERO, «The People are Puerto Rico's Greatest Resource», *The San Juan Star* (Aug., 12, 1977), p. 20.

le ayuda a crear un mundo dinámico en el más estático de los mundos, la mente humana. Remando, chapuzando, dando vueltas sobre sí mismo, el autor arrastra al lector por el agua fluida de su tragedia [17].

La reiteración que más establece el centro del personaje como ser angustiado es ésta: «*La otra había vaciado de sentido, desde el principio, al hombre que no pidió estar aquí, ni exigió nunca nada; a nadie, ¿entiendes?, a nadie*» (p. 98). Esta actitud patética se repite varas veces aumentando su hostil sentimiento frente al constante chorro de demandas y exigencias que le hacen las mujeres en cuestión. El recurso del ritmo se ajusta al tema y «el recuento de la conciencia lleva el vaivén rítmico de las andanzas del bote, símbolo como en T. S. Eliot de la vida azarosa del hombre» [18]. La enumeración de las mujeres que figuran como tiranas en su vida se nos presenta dos veces. Ya vimos la primera lista, y la segunda agrega a otra, «La supervisora de inglés» (p. 101). No extraña nada que «La principal» (p. 101) esté incluida porque como vemos en «El juramento» y en *La víspera del hombre,* ella ocupa un lugar preferido de pura odiada desde el punto de vista de los tres [19] niños de que se trata.

«En la popa hay un cuerpo reclinado» refleja la cuidadosa elaboración del problema psicológico del personaje central, el cual, en resumidas cuentas, es causado por la incapacidad del hombre para independizarse de

> la gran fuerza femenina ante la cual asume la actitud del rebelde derrotado. La vida misma es la gran fuerza femenina frente a la que este hombre se alza declarándose impotente. ¡Muerto antes que juguete de la vida!, parece decir. Actitud de una angustia metafísica avasalladora» [20].

En su crítica los jurados del certamen del Ateneo Puertorrique-

---

[17] PIRI FERNÁNDEZ DE LEWIS, p. 16.

[18] *Ibid.*

[19] Al analizar «El juramento» conocemos a un muchacho que también aprendió a odiar en Lares. En «En la popa hay un cuerpo reclinado» no se presenta un episodio en Lares, pero la mención de «la principal» recuerda lo que vemos en *La víspera del hombre.* Se menciona «la principal» dos veces en «En la popa hay un cuerpo reclinado».

[20] PIRI FERNÁNDEZ DE LEWIS, p. 16.

ño de 1956 han hecho un reparo que no nos parece del todo correcto. Opinan que algunos recursos que acabamos de exaltar dan

> la sensación de truco trivial para escandalizar la sensibilidad del
> lector. Falla semejante puede señalarse en la reiteración de pe-
> queñas arbitrariedades de la esposa, personaje que no alcanza la
> reciedumbre sintética de la figura de la madre. Es más bien un
> escaparate de neveras, televisor, auto, casa, vestido, no un ser
> humano patético destrozándose a la vez que destroza, por una fa-
> tal necesidad de su espíritu [21].

Compartimos la lástima que le tienen a la esposa y vale el
reparo si sólo vemos este relato desde el punto de vista humani-
tario; la verdad es que el hombre, el personaje central, no comprende bien el vacío que hay en el espíritu de su esposa. Según
él, ella desea las cosas del escaparate de que se habla y al hombre parece faltarle coraje para hablarle acerca de valores no
materiales. Pero, sea como fuere, la verdad es que la figura de
la esposa no alcanza la dimensión grande de la madre, porque
fue ésta quien influyó más en la forma de pensar del personaje
central. La madre fue la que echó una enorme sombra sobre su
hijo cuando éste estaba aún en su etapa formativa. La cita siguiente sirve de apoyo a nuestra opinión: «Vio en el fondo del
bote sus propios pies desnudos: los dedos largos, retorcidos, en-
caramándose una encima del otro. *Me aprietan, madre. Ese número te queda bien, hijito. Pero me aprietan, madre. Ya los do-
marás; son bonitos*» (p. 104).

Por lo tanto a nuestro juicio el autor delinea más a la madre
que a la esposa porque aquélla ejerce más influencia en el hombre cuya mente se examina. Lo de los zapatos apunta hacia el
largo proceso de desindividualización.

En lo que se refiere a la reiteración, criticada por los jurados,
afirmamos que lejos de ser «truco trivial» es más bien un sistema
literario perfecto con el cual René Marqués nos hace partícipes,
con el personaje central, de una acción en curso detenida. La de-
tención del tiempo se produce con eficacia por unas onomatopeyas reiteradas que tienen función múltiple.

La razón por la cual creemos, a diferencia de muchos otros

---

[21] *Ibid.*

críticos, que «La hora del dragón» representa un logro mayor para la cuentística de Marqués que «En la popa hay un cuerpo reclinado», es que ese relato, aunque menos intenso a veces, resume circunstancias más frecuentes en lo que se refiere a la probabilidad del desenlace. Es esta probabilidad respecto a la condición humana lo que hace que «La hora del dragón» sea más universal, creemos. «La hora del dragón» también nos acerca a un mundo geográfico y humano más vasto.

En cuanto a la anécdota, opinamos que «En la popa hay un cuerpo reclinado» carece de solución de finalidad y de una inmediatez de acción en curso que consideramos necesarias para mantener más viva la trama. Pero, en suma, la intención es descubrir ese mundo psíquico del personaje y manifestar esas interiorizaciones. En consecuencia, suponemos que cualquier comparación entre los dos cuentos ha de rayar siempre en gustos personales.

El aspecto literario de «La hora del dragón» ha sido ya ampliamente comentado, pero el de «En la popa hay un cuerpo reclinado» merece un comentario aún más extenso. Los diálogos recordados, encabalgamientos, la libre asociación de las ideas alcanzan unos puntos culminantes que igualan a los logrados en «La hora del dragón». En cuanto a la voz narradora, las superaciones son mayores por comprender hasta cinco voces en un mismo pasaje. Y las sugestiones onomatopéyicas alcanzan su máxima eficacia.

La enumeración de las mujeres, que se reitera, también detiene eficazmente el tiempo presente, y a la vez refuerza intensamente la idea del hombre bajo una opresión.

Es probable que este cuento sea el más conocido de todos los del autor por su fascinante tema y por el habilísimo tratamiento del mundo interior del protagonista. Según esta valuación, es bueno también por la multiplicidad de la voz narradora a base de onomatopeyas. José Lacomba, sin embargo, dice que es «Otro día nuestro» el más antologado de los cuentos de Marqués [22].

---

[22] José M. Lacomba, portada e introducción en René Marqués, *Inmersos en el silencio* (Río Piedras: Editorial Antillana, 1976), p. 17.

Parte tercera: «Purificación en la calle del Cristo», coexistencia de los tiempos pasado y presente; la creación de ambientes y atmósferas; la influencia del Marqués dramaturgo.

«Purificación en la calle del Cristo» trae el epígrafe que sigue: «*Time is the fire in which we burn*» —Delmore Schwartz (Time is the Fire) [23].

Hemos situado este cuento bajo el modelo de «El miedo» juzgándolo como cuento existencialista de tipo negativo.

La idea de este epígrafe toma en el cuento una representación literaria sorprendentemente gráfica. Los personajes, que se han consumido a través de todo el relato en el fuego (la angustia mental) provocado por el tiempo, acaban por consumirse en el fuego literal, en un acto de suicidio colectivo.

Es más, «Purificación en la calle del Cristo» es, de todos los cuentos del autor, el que mejor logra detener el tiempo de una época, dejando los comentarios de los personajes en breves preguntas y en extensas observaciones por la voz narradora, que también expresa el punto de vista del personaje central, Inés.

El argumento es el siguiente: Inés, Emilia y Hortensia son hermanas. Viven en la calle del Cristo, en la gran casa familiar. Hortensia está muerta. Toa Alta es la hacienda de que habla la voz narradora, finca que pertenecía en otro tiempo a la familia Bukhart. Inés y Emilia están en la gran sala contemplando a Hortensia que yace en el féretro. «La habían vestido con sus galas de novia» (p. 9).

A Inés y Emilia les parecía que

> sería Hortesia quien habría de deslumbrar en los salones, aunque las tres aprendieran por igual los pequeños secretos de vivir graciosamente en un mundo apacible y equilibrado, donde no había cabida para lo que no fuese bello, para las terribles vulgaridades

---

[23] RENÉ MARQUÉS, *Purificación en la calle del Cristo (cuento) Los soles truncos (teatro)* (Río Piedras: Editorial Cultural, Inc., 1973), p. 5. Todas las citas referentes a este cuento se toman de esta edición. Deseamos observar aquí que este cuento aparece sin el epígrafe, cosa que nos parece inexplicable. En la p. 29 del libro *En una ciudad llamada San Juan* aparece el epígrafe que corresponde al cuento en cuestión.

de una humanidad que no debía (no podía) llegar hasta las frágiles fräulein, protegidas (p. 6).

Se nos dice en la narración que María Eugenia era de Málaga, que Papá era de Estrasburgo, ciudad en la cual las tres hijas se prepararon en el colegio «para ser lo que a su rango correspondía en la ciudad de San Juan» (p. 6). En San Juan pasaron muchos años y las dos hermanas, Inés y Emilia, ancianas ya al comenzar la anécdota, sostienen una especie de diálogo, muy parco; sólo cambian cinco frases cortas. Lo demás del relato se concentra en las interiorizaciones de Inés. Es por el subconsciente de ésta que se nos revela el gran conflicto de los personajes. Inés es fea, rencorosa y perfeccionista; y lo que es peor, resentida y envidiosa. Sin embargo, ella es la que se finge loca ante los acreedores y realiza la tarea de cargar agua y de «vender sus joyas» (p. 16). Inés es quien determina el final: quemar la casa.

Aquí nuevamente se observa una cuidadosa colocación de los datos, hecha de modo tal que el lector, si no pone mucha atención, no apreciará bien una formidable elaboración técnica, a saber, los comentarios de Hortensia estratégicamente dispersados, con los cuales se nos revela su problema: el conflicto de que hablamos. Se narran en el tiempo actual, cuando en verdad son comentarios que fueron hechos muchos años atrás. !Qué modo mejor para detener el tiempo? Se usa un tipo de letra que indica que se dicen y que no se piensan solamente. Así se comprende que la Inés del presente oye las palabras de una época anterior.

La anécdota la conocemos mediante la voz del narrador, puesto que el diálogo sólo presenta superficialmente lo que pasa en ésta, la etapa final de la historia de los Bukhart. La narración se acomoda con frecuencia a lo que ocurre dentro de Inés. A nuestro parecer «Purificación en la calle del Cristo» representa un momento cumbre para la capacidad intelectual-intuitiva poética del autor y por eso un análisis de este relato resultaría tan difícil como extenso. No obstante, a continuación reproducimos unos cuantos ejemplos de cómo se estructura la narración desprendiéndose del diálogo:

—¿Recuerdas?— preguntó Inés. Y Emilia asintió.

No era preciso asentir a algo determinado porque la vida toda

era un recuerdo, o quizás una serie de recuerdos, y en cualquiera
de ellos se podía situarse cómodamente para asentir a la pregunta
de Inés, que pudo haber sido formulada por Hortensia, o por ella
misma, y no precisamente en el instante de este amanecer, sino
el día anterior o el mes pasado o un año antes, aunque el recuerdo bien pudiera remontarse al otro siglo: Estrasburgo, por
ejemplo, en aquella época imprecisa (impreciso era el orden cronológico no el recuerdo ciertamente) (p. 6).

Así el narrador va ahondando en la psicología de los personajes
y de paso completa el alto relieve histórico-cultural en que están
situados. El tono de la frase parentética tiene semejanzas con el
estilo de Jorge Luis Borges; ver, por ejemplo, el final del cuento
«Emma Zunz» [24]. En el relato de Marqués, el cual más parece
escenario teatral, que narración, la creación del ambiente y de
una espesa atmósfera existencial se alcanza mediante la caracterización de Papá Bukhart, que «siempre dejó que el mundo
girara bajo su mirada fría de naturalista alemán» (p. 10); y también mediante datos referentes al momento histórico que se vivía, «noticias de una gran guerra en la Europa lejana, y cesara
entonces la débil correspondencia sostenida con algunos parientes (de mamá Eugenia) de Estrasburgo, y con los tíos de Málaga» (p. 11); y a través de las escenas retrospectivas: *«Es usted la
más deslumbrante belleza de esta recepción, señorita Hortensia*
(fue poco después de haber bailado Hortensia la mazurca con el
Gobernador General)» (pp. 8-9); e igualmente mediante la descripción: «un sol tricolor, trunco también, cansado de haber visto
morir un siglo y nacer otro ... los años de salitre depositados sobre los cristales ... oponiendo mayor resistencia a la luz, a todo
lo de afuera que pudiera ser claro, o impuro, o extraño (hiriente en
fin)» (pp. 5-6). Los versos de Emilia revelan asimismo la resignación de ésta, que se nos indica por el asunto de su amor íntimo
e imposible: *«Soy cordero de Pascua para TU espada»* (p. 13); la
esterilidad que deja el miedo y el decirle no a la vida, como lo
hace Hortensia es también una indicación. Ese «no» (p. 11) lo dijo
Hortensia por creer que Inés de verdad quería protegerla al contar-
le lo del alférez. Inés, con su envidia, es quien hace que a todos

---

[24] JOHN CROW and EDWARD J. DUDLEY, *El cuento* (New York: Holt,
Rinehart and Winston, 1966), p. 227.

se les nieguen la formación y educación necesarias para evitar la esterilidad. El ambiente y la atmósfera se forman de nociones y sueños demasiado arcaicos para sobrevivir a un mundo tan joven y caótico como el de San Juan o el Puerto Rico de esas décadas. El verdadero tiempo presente al cual la familia no se integra, se caracteriza aquí por los problemas económicos: la venta de Toa Alta, los acreedores, y la caridad de los vecinos.

Vemos en el siguiente pasaje cómo va trazándose la personalidad de Inés y cómo la anécdota bitemporal va explicando la acción inmediata de las hermanas:

> Inés vio a Emilia asentir a su pregunta y pensó: *No puedes recordar, Emilia. Los más preciosos recuerdos los guardo yo.*
>
> Porque a su pregunta, ¿Recuerdas?, supo que Emilia iría a refugiarse en el recuerdo de siempre. Que no era en verdad un recuerdo, sino la sombra de un recuerdo, porque Emilia no lo había vivido (pp. 7-8).

Ahí vemos lo tenues que son algunos de estos recuerdos, haciendo que los tiempos en cuestión nos parezcan aún más lejanos. El pasaje que sigue nos lleva al centro del conflicto.

> Un alférez español puede amar hoy y haberle dado ayer el azul de sus ojos al rapacillo de una yerbatera ... Hortensia dijo *no,* aunque antes había dicho *sí* y aunque los encajes de su traje de novia hubiesen venido de Estrasburgo ... El tiempo entonces se partió en dos: atrás quedóse el mundo estable y seguro de la buena vida; y el presente tornóse en el comienzo de un futuro preñado de desastres, como si el no de Hortensia hubiese sido el filo atroz de un cuchillo que cercenara el tiempo y dejase escapar por su herida un torbellino de cosas jamás soñadas; ... mamá Eugenia había muerto de dolor al ver una bandera extraña ocupar en lo alto de La Fortaleza el lugar que siempre ocupara su pendón rojo y gualda, ... luego noticias de una gran guerra en la Europa lejana, y cesara entonces la débil correspondencia sostenida con algunos parientes de Estrasburgo, y con los tíos de Málaga (pp. 11-12).

Esta descripción del transcurrir del tiempo hace resaltar el mérito de la disposición de los datos, y sobre todo el mérito de la tensión que se crea con el crescendo de la idea del epígrafe, *«Time is the fire in which we burn»* (p. 5) porque ahora «El tiempo era como un sol trunco (azul, amarillo, rojo) proyectando su esmerilada fatiga sobre la gran sala» (pp. 13-14). Y es aquí donde encontramos la prefiguración del final: «Sin embargo, el tiempo había sido también transparente. Lo había sido en el instante aquel en que viera allí a Hortensia con su bata blanca de encajes .... y el rojo de un cristal daba sobre su cabeza produciendo una aureola fantástica de sangre, o de fuego quizás» (p. 14). Y el final,

> el olor a tiempo y a polvo que caracterizaba la sala empezó a desvanecerse ante el olor penetrante a petróleo. De pronto a los rubíes de la ajorca se les coaguló la sangre. Porque la sala toda se había puesto roja .... Y estaban allí, reunidas como siempre en la gran sala; ... los tres soles truncos emitiendo al mundo exterior por vez primera la extraordinaria belleza de una luz propia (p. 21).

Hay trozos que acusan la influencia del patriotismo literario del autor: la mención de «la bandera extraña» (p. 11), por ejemplo. En este cuento «El portalón de ausubo» (p. 19) y el temporal en «ese mismo año de *San Felipe*» (p. 18) también corresponden en menor grado al interés del autor por lo puertorriqueño.

«Purificación en la calle del Cristo» es más que nada el psicoanálisis de los efectos del tiempo en la alta sociedad arcaica sanjuanera. Hortensia, la única de las tres hermanas que pudo haber ascendido casándose, que pudo haber alcanzado una felicidad «había dicho no a la vida ... El tiempo entonces se partió en dos» (p. 10). Hortensia representaba el istmo de los dos mundos. «Y era preciso destruir el istmo» (p. 19). Inés enloquece y

> Sus largas uñas con color a muerta claváronse en el rostro que tenía más próximo .... Y después sus puños golpearon despiadadamente, con la misma furia con que habían combatido la vida; golpeando así, ¡Así!, contra la miseria, y los hombres, y el mundo, y el tiempo, y la muerte, y el hambre, y los años, y (p. 19).

Este análisis psicoanalítico del autor revela que era Inés quien, además de pagada de su mismo modo de ser, y muy fea, envidiaba la belleza de Hortensia, y le contó también lo de la mulata para convencerla de que no se casara con el alférez. Fue Inés la que guardaba rencor por Emilia, la lisiada (coja) que huía de la gente, pero que escribía versos. Estos arrastraban a Inés a

> un mundo íntimo que le producía malestar .... Y ese misterioso estar y no estar en el ámbito de un alma ajena la seducía y la angustiaba a la vez .... no podía precisarlo, pero había algo obsceno en todo esto, algo que no era posible relacionar con el violeta pálido de los ojos de Emilia, ni con su pie lisiado, ni con su gesto de niño tímido y asustadizo. O quizás lo obsceno era precisamente eso, que fuese Emilia quien escribiese versos así. Lo peor había sido el *Tú* innombrado (p. 13).

El corte transversal en la psicología de Inés revela que sospecha también de Emilia en lo que atañe a ese *Tú* y a ese *Él,* por que ella, Inés, estaba enamorada secretamente del alférez, por lo cual suponemos que era ella quien sufría más, quien ardía más en el fuego del tiempo al que se refiere el epígrafe.

La cita que destaca la desesperación existencial de Inés «golpeando así, ¡Así!» (p. 19), muestra dramáticamente los efectos teatrales de la prosa marquesiana. Este cuento, efectivamente, fue refundido en drama por el autor, después de lo cual le tocó el honor póstumo que leemos a continuación:

> La sala del drama del Centro de Bellas Artes a la que se ha dado el nombre del dramaturgo puertorriqueño René Marqués, se inaugura con una obra de éste, *Los Soles Truncos,* hoy viernes por la noche [25].

Conviene explicar que la capacidad intelectual-intuitiva poética de René Marqués, a la cual ya nos hemos referido, se caracteriza por una maravillosa síntesis en este cuento donde el autor resume la historia, comenta la cultura, describe los estados de ánimo de los personajes, crea ambientes y atmósferas, con otros muchos recursos —la prosopopeya, el subjetivismo casi constante, la descripción llena de imágenes y símbolos— va narrando episodios pasados y presentes, entrelazándolos en su ficción. Y la concepción literaria existencialista encuentra su momento culminante cuando en un acto desesperado las hermanas se suicidan quemándose, acto que parece proveerles el sentido

---

[25] Annie Araña, *El Mundo,* 24 de abril de 1981.

de venganza contra su inercia, el sentido de haber obrado por
su cuenta «emitiendo al mundo exterior por primera vez la extraordinaria belleza de una luz propia» (p. 21). El dramatismo
gráfico de la escena tiene la exquisitez visual privativa de René
Marqués.

IV. LA NARRATIVA DE PROTESTA POLÍTICO-SOCIAL

Parte primera: «En una ciudad llamada San Juan», obra modelo para los relatos de protesta político-social; la situación límite de los puertorriqueños.

«En una ciudad llamada San Juan» es un cuento de énfasis político-social [1]. Consideramos que es de tipo negativo puesto que el personaje opta por un acto de violencia sin pensar en los derechos de su víctima y porque en el momento final del relato «percibió la totalidad del hecho ... no era ya objeto, no era cosa mineral o vegetal, no era animal siquiera ..., era irremediablemente, un hombre» (p. 207), cuyo futuro se vislumbraba menos feliz de lo que se veía al principio del cuento, cuando él «estaba sereno» (p. 201).

El epígrafe fue tomado de *The Hairy Ape* de Eugene O'Neill y dice así: «*You don't belong with them, and you know it. But me, I belong with them, but I don't; see?*» (p. 201).

Este epígrafe de Eugene O'Neill se hace nítido para el que analice la obra de Marqués al que pertenece. Es el fragmento de un diálogo, como una acción *in medias res,* que pide una explicación. Es un reto al intelecto, y para René Marqués parece

---

[1] El cuento fue escrito en 1959 y se basó en un hecho ocurrido en San Juan dos años antes. Véase RENÉ MARQUÉS, *En una ciudad llamada San Juan* (Río Piedras: Editorial Cultural, Inc., 1970), p. 201. Todas las citas usadas en este estudio se toman de esta edición. Para una interpretación de este hecho violento véase también CHARLES PILDITCH, *René Marqués. A Study of His Fiction* (New York: Plus Ultra Educational Publishers, 1976, pp. 53-55.

sugerir, o exigir, una narración. Lo primero en este caso es decidir cómo ve el autor la cita de O'Neill, es decir, ¿quién le dice esto a quién? Creemos que la cita representa lo que dice o lo que piensa para sí el personaje central del cuento. Es como si le estuviera hablando al infante de marina.

El cuento está basado en un hecho ocurrido en San Juan en 1957. Marqués nos lo dice al escribirlo en 1959. Es la historia de un puertorriqueño que ha vuelto a San Juan en su peregrinación anual. Importa que se diga «peregrinación» y no «visita» y que se sepa que San Juan es su ciudad natal aunque vive ahora en Nueva York. Es de noche y mientras camina cerca del Palladium está pensando en la ciudad. Para él es una ciudad sitiada.

> Había en él como una oscura conciencia de que sólo se encontraría a sí mismo descubriendo, de algún modo, el sentido oculto de la ciudad .... ¿Por qué San Juan reía sin querer, por qué mostraba aquel vacío en medio del bullicio, por qué había en ella una falla fundamental que no la hacía ser ciudad, verdaderamente ciudad? (p. 202).

Mientras espera en la parada de autobuses piensa en su vuelo de vuelta a Nueva York. Un infante de Marina se le acerca y le pregunta, «Got a match?» (p. 203). El recuerda haber visto a este hombre «que había intentado arrebatarle su pareja» (p. 203) y le acerca el fósforo. «El otro echó la cabeza hacia atrás» (p. 203) y dice, «nervous, spic?» (p. 203).

Nuestro personaje central, puertorriqueño, residente ahora en Nueva York, nacido y criado en San Juan, se fija en un letrero que dice: «*Federal property*» (p. 205) y comienza «a pensar en términos geográficos .... Y entendió por vez primera algo que jamás se le había ocurrido. Fue como el chispazo de una revelación. Su ciudad estaba sitiada» (p. 205). Está parado en la acera y frente de él «el césped: Federal property» (p. 205). Y a sus espaldas la playa, y ésta también era propiedad federal. Y la acera, sólo la acera dónde está él, es «propiedad insular» (p. 205).

> El infante de Marina estaba en el borde del césped y desde allí orinaba ruidosamente sobre la acera. El chorro era ya un torrente que bajaba por el concreto amenazando sus pies ....
> —*You shouldn't do that here*— .... El infante de Marina sonrió,

acercándose a él. —*Who cares?* Y de modo improvisto, sin motivo, sin lógica, las dos manazas se alzaron al unísono. —*Who cares about nothing in this fucking city?* Los labios, inexplicablemente, sonreían. Y las dos manazas fueron a estregarse en la cara color canela (p. 206).

El personaje central (innombrado como es usual en estos cuentos) saca un revólver de su bolsillo que su cuñado le había obligado a llevar y mata al infante de Marina.

La idea enunciada en el epígrafe es, a nuestro parecer, la del personaje central. Este se dirige mentalmente al infante de Marina y en su condición de hijo de Puerto Rico desheredado dice: «You don't belong with them [los isleños], and you know it. But me, I belong with them, but I don't; see?» Nuestra interpretación se aclara al concentrar la atención en el título del cuento, «En una ciudad llamada San Juan», y en la dedicatoria del libro: «A San Juan ciudad sitiada de América», y en un conflicto que experimenta el protagonista. En parte el conflicto se reduce a la misma que vimos en *La víspera del hombre,* en «Otro día nuestro», en «Ese mosaico fresco sobre aquel mosaico viejo», en «El miedo», esto es, la identificación del personaje con su pueblo natal, con su isla. Es otra aplicación del concepto hombre-isla que aquí deviene hombre-ciudad. Cuando el infante de Marina le entregó la cara con sus «manazas inmundas» (p. 207)

> Le pareció que, en efecto, una fuerza avasallante estaba ante él clamando por la destrucción de su ciudad, y por la suya propia, intentando convertirle en materia infrahumana, en cosa u objeto .... Y sintió agónicamente la urgencia de evitarlo, de salvar a San Juana salvándose él (p. 206).

Creemos que René Marqués no simpatiza con el acto de violencia que sigue, realizado por un compatriota, pero que le importa describir bien la situación que lo provoca. Esta la conocemos al principio del cuento, cuando el personaje puertorriqueño, de «color canela» (p. 206), piensa no en «el Dios Católico y manso ..., sino [en] el Dios protestante y bíblico de voz atronadora: ¡Hágase La Luz!» (p. 201). Más adelante, en el desenlace, vemos esto:

> su mano (la suya propia), dura y fría bajo la luz potente de las

> lámparas de mercurio, produjo aquel ruido espantoso, que era
> igual al que produjera Dios (el soberbio y tonante) cuando dijo:
> ¡Hágase La Luz! El mismo ruido de espanto metafísico que estre-
> meciera al mundo cuando Dios ... sopló sobre un puñado de barro
> y murmuró acongojadamente: *Eres el hombre* (p. 207).

Esto nos hace pensar que el personaje siente el poder de jus-
ticiero divino, de quien decide ser luz y no «una sombra más en
aquella ciudad llamada San Juan. A cuya entraña pertenecía y
en cuya entraña se sentía ajeno» (p. 202).

El relato no cuenta con grandes innovaciones en la voz narradora, ni tampoco tiene escenas retrospectivas ni estrategia complicada en la anécdota, cuya estructura es lineal. Cuenta, en
cambio, con algunas de las mejores onomatopeyas de toda la narrativa: «tac-sha, tac-sha, tac ...» (p. 204). Representa los pasos del que le sigue a sus espaldas: «(el tacón: *tac,* primero;
luego la suela *sha*)» (p. 204), y para el mar (cada oleaje) pone
«*chaas ... chaaaas*» (pp. 204-05).

Un reparo que estimamos necesario tiene que ver con la res-
puesta del infante de Marina: «*Who cares about nothing in this
fucking city?*» El uso de la palabra «*nothing*», ¿representa la
forma popular más acostumbrada entre los yanquis? Nos preguntamos que si un yanqui diría eso. ¿No diría más bien, *Who cares
about «nothin» in this fucking city?* [2]. O, quizá diría «*anything*».
Que el puertorriqueño aquí diga «*You shouldn't do that here*»
nos indica que habla bien el inglés, pero que el Yanqui diga
«*nothing*» nos parece fuera de su idiosincrasia. Puede que el
infante de Marina esté burlándose así del modo de hablar el inglés de los puertorriqueños menos enterados del inglés coloquial.
¿Se equivocaría René Marqués? Lo más lógico es que sea equi-
vocación lingüística del autor o una errata y no que un infante
de marina anglosajón se esté burlando del modo de hablar puertorriqueño. Si de verdad un puertorriqueño diría «nothing» en vez
de «nothin» (o «anything»), lo más probable nos parece que al

---

[2] En la preparación de este manuscrito nos ayudó un alumno colom-
biano que quiso corregir con «g» la palabra «nothin» (puso «nothing»)
que nosotros habíamos escrito sin «g» con intención. Ya que dicho alumno es de habla española hemos supuesto que él respondía a un sistema
de inglés hispanizado, el cual podría dirigir también la mano del autor.

autor se le escapara este detalle [3]. Las oraciones anteriores:
«Got a match?» y «—Nervous, spic?» y «Who cares?» revelan
un modo de hablar muy natural. Por lo mismo nos preguntamos
por qué toman desprevenido al peregrino, por qué, si vivía en
Nueva York, no iba a entender la palabra «spic» (p. 203). Que
el peregrino confundiera «spic ... Stick ... Nick o Dick» (p. 203),
también nos parece mal motivado y nos interesaría saber si
«Dick» no le parecía peor insulto. Todo esto, en fin, apenas merecía
comentario crítico de no tener relación con el epígrafe y más particularmente con la interpretación que nosotros le damos aquí.

La ironía del cuento descansa en el hecho de que los dedos
del peregrino, al buscar «el pañuelo para limpiar el rostro afren-
tado» (p. 207), «tropezaran con algo duro y frío» (p. 207) y que
es mediante la concepción anglosajona de Dios que él produce
«aquel ruido espantoso» (p. 207) y no mediante la concepción católica de Dios, un Dios «manso y rezagado» (p. 201).

El verdadero problema obedece a una política internacional
que quizás no se resuelve nunca por tener tantos aspectos eco-
nómico-culturales. El conflicto, empero, sí parece un poco menos
complicado si lo vemos representado literariamente en una situación límite. El autor lo comenta en parte como sigue: «Creemos,
con varios psicólogos contemporáneos, que cada sociedad carga
un complejo de culpa causado por lo que podríamos llamar su
'pecado original'. En el caso de Puerto Rico parece obvio que es
el coloniaje el pecado que origina el complejo de culpa» [4]. Charles Pilditch cree que los personajes del libro *En una ciudad llamada San Juan* padecen de estos conflictos psicológicos. Dice:

> They are plagued by the various neuroses and complexes ... such
> as feelings of guilt .... Each story thus serves in its own way to
> illustrate the spiritual and physical holocaust which Marqués sees
> menacing and destroying the Hispanic roots of Puerto Rican cul-
> ture .... It is precisely their acceptance of it that gives rise to
> the previously mentioned collective guilt complex [5].

Nosotros, sin embargo, nos vemos obligados a puntualizar la

---

[3] Concordamos con Óscar Fernández, quien ha estimado que el infante
de Marina es norteamericano de origen anglosajón.
[4] RENÉ MARQUÉS, citado en CHARLES PILDITCH, pp. 55-57.
[5] CHARLES PILDITCH, pp. 56-57.

idea del autor mismo sobre «La primera invasión» (p. 45), la cual hace creer que René Marqués, como hemos intentado aclarar, habla de aquella época precolombina como si hubiera sido ideal, porque la describe así:

> Todo en el universo había tenido un sentido, pues aquello que no lo tenía era obra de los dioses y había en ello una sabiduría que no discutían los hombres, pues los hombres no son dioses y su única responsabilidad es vivir la vida buena, en plena libertad (p. 20).

Charles Pilditch ha hablado de raíces hispanas, pero también habrá que hablar de raíces taínas y de otras raíces indias si pensamos abarcar la cuestión que le preocupa a René Marqués, la cuestión de la «plena libertad» para el pueblo puertorriqueño. En nuestra introducción al presente estudio la comentamos. Este personaje central de «En una ciudad llamada San Juan» sí es el hombre-isla, quien desea no ver invadida («sitiada») más su tierra («ciudad»). Pero René Marqués se da cuenta, y hasta nos lo indica en una obra, de que hubo otros saqueos, sitios, o invasiones anteriores a la española y a la norteamericana. Un ejemplo: «Y defenderla contra los caribes, que son parte del orden cíclico, la parte que procede de las tinieblas. Pero nunca las tinieblas prevalecieron» (p. 20. La posibilidad de una autodestrucción de las tribus indígenas la comentamos ya, y aquí sólo queremos hacer hincapié en la idea de que nuestro autor jamás definió bien lo que podría constituir la «plena libertad» desde el punto de vista histórico.

En cuanto al protagonista de este cuento vemos que es fácilmente contrastable con el de «Otro día nuestro», porque aquél, más joven, se ha criado en un ambiente menos apto para formar hombres de juicio noble, capacitados para recurrir al orden estabelcido y no a la violencia anárquica.

Parte segunda: «La chiringa azul», relato alegórico; el genio poético intuitivo-intelectual; el realismo figurado selecto.

«La chiringa azul» lo hemos calificado de cuento alegórico cuyo epígrafe le sirvió, seguramente de inspiración. He aquí el epígrafe:

... Nunca he podido, por desgracia mía, encampanar el volantín de un sueño, sin que el demonio, que me tiene rabia, me corte el hilo en el azul del cielo!— (p. 149) [6].

José de Diego

El personaje central es un niño y a través de todo el cuento la voz narradora se adecua bien a la psicología infantil. Este niño espera encampanar (elevar) su cometa y logra su deseo, pero

> vio elevarse al Demonio .... Su arte diabólico lo había convertido en ... una chiringa 'torito' ... Eran flecos que producían aquel sonido, *tritritri*, amenazador ....
> ....
> Y sólo la huida era posible .... Había cuchillas asesinas en el rabo del ente infernal ....
> ....
> Y ocurrió. Era inevitable que ocurriera ... la chiringa azul, en un temblar de angustia, iniciaba el alejamiento y la caída, sin orientación ni rumbo, alejándose, perdidamente (pp. 156-57).

Los sueños son sueños y están destinados a frustrarse. He aquí el elemento filosófico negativo que se enuncia en el epígrafe. La cometa traza una vía larga por encima de avenidas y sitios bien conocidos, pero en otro plano va por las vías de emoción infantiles que desembocan en la vía descendente de la melancolía y del abismo de la frustración, y si no sube hasta el paraíso de la libertad es porque se lo prohibe el letrero que dice «No trespassing» (p. 158). Todo se resuelve en una metáfora bien lograda: el niño desempeña el papel de patriota independentista, desea elevar su chiringa, que representa su isla, en lo alto del cielo para alcanzar la libertad. La chiringa es azul, (color del arte según Víctor Hugo) destacando así la intención creadora artística y el sueño de la independencia tan libre como el cielo, pero el tono azul de esta chiringa es «más intenso, casi añil como teñida por *jiquilete* taíno» (p. 149) y vuela altiva como el guaraguao. En éste vemos lo puertorriqueña que es la chiringa. Es

---

[6] RENÉ MARQUÉS, *Inmersos en el silencio* (Río Piedras: Editorial Antillana, 1976), p. 148. Todas las citas referentes a «La Chiringa azul» y a «La muerte» se toman de esta edición.

además una chiringa hecha a mano y no fabricada «en serie» (p. 150).

El problema para el niño era que «una chiringa necesita espacio libre, infinito, para cumplir su misión» (pp. 151-52). Al llegar al claro en el que pensaba encampanar su chiringa el niño se encontró con el «letrero aquel: *Peligro. No volar chiringas. Cables de alta tensión.* Clavado en el poste» (p. 152). Llegaron entonces a los terrenos sanjuaneros de San Felipe del Morro, cerrados ahora por la valla de *Fort Brook,* y «fue la mano de algodón blanco la que se abrió para impedirle la entrada» (p. 153).

El niño «no entendió bien el inglés del centinela ... la vida, aparentemente, se componía de gestos y frases similares *«No pasar, Peligro, Prohibido»* (p. 153). Ese campo dentro de «San Felipe del Morro no era libre en verdad, sino que en tiempos de paz no tienen nada útil que hacer ... los oficiales ociosos ... dándole puerilmente a una pelotita blanca con bastones ... que por ello no se pudiera realizar allí lo que realmente era importante: elevar la chiringa azul» (p. 154).

La actitud del niño nos recuerda la de los muchachos cubanos tan auténticamente perfilados en el cuento «Uvas caletas» de Pablo La Rosa, pero el tono de René Marqués es, como siempre, más sutil y de más apagada amargura y más orientado hacia el realismo figurado, hacia lo poético, lo cual, según pensamos, refleja su opinión sobre el patriotismo puertorriqueño: que habitualmente no se manifiesta fuerte porque el hombre puertorriqueño es dócil, según lo describe en su ensayo «Pesimismo literario y optimismo político». Por ello hablamos de un «patriotismo literario» en René Marqués.

Cuando esta chiringa azul es atacada por el Demonio, que «estaba en plan de destrucción» (p. 156), y comienza su caída «hacia las aguas turbias y contaminadas de la bahía, hacia el vacío, la muerte, o quizás la nada» (p. 157), suponemos que, dadas las circunstancias políticas descritas, se trata de una imagen chiringa-isla o sea patria-libertad. Pero, ¿cómo interpretar el significado de la chiringa roja, el Demonio, «rojo», desde luego (p. 156), como salido del Infierno en el Catecismo dominical? ¿Y cómo interpretar los flecos y festones negros?, «negros como el vestuario de los ejecutantes de aquella cosa horrible que llamaban Inquisición, según se veían en libritos protestantes que circulaban en el arrabal» (p. 156).

En el nivel filosófico-poético tales símbolos han de representar una oposición que suponemos que es inherente y universal, la cual se presenta siempre como enemigo de los buenos sueños. En el nivel realista hemos visto lo que el letrero decía: *«Peligro. No volar chiringas...»* (p. 152), por lo que hemos de creer que el Demonio es uno de los muchos cometas que los niños suelen volar y que la competencia que se hacen entre sí es lo que ocurre aquí. Por otra parte, «El Demonio» (La Inquisición) (p. 156) puede corresponder a otra fuerza enemiga, ¿cuál?

En su narrativa René Marqués no aborda el tema de la iglesia de forma seria, en lo que se refiere a sistemas teológicos, excepto en «Tres hombres junto al río», pero la admite como factor determinante en la moral de algunos personajes centrales, como la mujer en «La hora del dragón», pero en ninguna parte la celebra; ni la exalta ni la condena directamente.

En vista de que el Demonio (la chiringa roja) se describe con referencia al catecismo y los «libritos protestantes» (p 156) bien podría simbolizar el miedo. El motivo por el cual un niño jamás podría volar la chiringa en plena libertad será el miedo que se le ha infundido. Hay algo, no sólo fuera de él, sino también dentro de él, que reprime la libre expresión o realización de sus sueños. Si el autor cree que el niño sufre por el miedo que pudiera imponerle la iglesia, no lo dice. Para darse cuenta de lo grande que puede ser el miedo de los que se dejan dominar por el protestantismo, el lector puede dirigirse al cuento «Pasión y huida de Juan Santos, Santero»[7]. Dicha interpretación, para el plano filosófico, adquiere crédito si tenemos en cuenta el lema que encabeza «Tres hombres junto al río». Es el que sigue: «Mataréis al Dios del Miedo, y sólo entonces seréis libres». El epígrafe es de Bayoán. «La chiringa azul» sólo difiere de «Tres hombres junto al río» en que se trata de la segunda y no de la primera invasión. En lo que se refiere al fondo ideológico no hay diferencias, aunque su tratamiento aquí es alegórico.

Este niño, sin embargo, no parece tener mucho miedo. Al ne-

---

[7] Es un relato muy discutido en Puerto Rico por tratarse de la violencia entre puertorriqueños provocada por el fanatismo religioso.

gársele la entrada al campo donde podría volar bien su chiringa,
sólo «se encogió de hombros» (p. 154); por lo que si este niño es
el hombre-isla del plano alegórico a que nos hemos referido, creemos que si la chiringa-libertad no se encampana, no es a causa
del miedo sino de la apatía del ciudadano puertorriqueño. En fin,
es una posible interpretación.

No encontramos en «La chiringa azul» innovaciones ni complicaciones en la voz narradora. Es la capacidad descriptiva ci-
nematográfica lo que vale más aquí, y también la capacidad del
autor para profundizar en la psicología del niño. Podemos apreciar estas cualidades narrativas en una cita como la siguiente,
que describe la loca carrera del niño que trata de salvar su chiringa:

> Y la carrera se hacía suicida atravesando avenidas de enlo-
> quecido tránsito circulante ... y el empujón al policía que intentó
> detenerlo, y ... el escándalo de *claxons* ... corriendo siempre
> hacia la vida o la muerte ... y el tropezón y la caída en la ace-
> ra, y la nariz sangrante, sin sentir nada, excepto el grito que no
> llegaba a articular su garganta, pero que circulaba furiosamente
> por toda su sangre ardida: *chiringa, chiringa mía* ...

> Hasta que dio contra la valla de alambre de acero tejido con
> el letrero, el eterno letrero: *No trespassing* (pp. 157-58).

También en el inglés de esta cita volvemos a ver la protesta política, y la juzgamos protesta triste y callada por las palabras
que siguen: «Y se oyó un sollozo que quizás sólo fuese un jadeo
de siglos ... *¡Chiringa mía!*» (p. 158). El que «La chiringa azul»
sea el único cuento de la colección *Inmersos en el silencio* que
también apareció en *En una ciudad llamada San Juan* nos da
constancia de que tiene una reconocida intención de protesta político-social. En René Marqués es mucho más exacto definir esta
protesta como expresión sentimental contra una fuerza opresora
y no como una doctrina ideológica prescriptiva. El «sollozo» (p. 158)
y el «jadeo de siglos» (p. 158) que se mencionan encuentran su
equivalente en esta opinión de José M. Lacomba: «Puerto Rico,
con más de cuatro siglos de coloniaje, está inmerso en el sim-
bólico silencio ...» [8] del pueblo.

---

[8] José M. Lacomba, «Introducción y portada», en René Marqué, *Inmersos en...*, p. 24.

Llamamos la atención sobre la palabra «*Peligro*», que lleva una gran carga de resentimiento, y recordamos que ésta fue la primera palabra inglesa que vio Pirulo en *La víspera del hombre* (p. 115).

Aparece también una metáfora que también está en «Otro día nuestro» y ahora se ve repetida: «el poste negro y alto, esclavo cíclope en servicio público» (p. 152). Esta tendencia del autor a expresar así el aspecto visual de ambientes nos parece señal patente de que el contenido de sus cuentos se orienta por un sistema selectivo literario. Una vez que da con un símil bueno, una metáfora afortunada, una imagen clara, René Marqués tiende a repetirse, tal vez demasiado para algunos lectores.

Otro elemento retórico que encontramos en este cuento es el lienzo histórico-cultural que sirve de fondo. Lo apreciamos en el siguiente pasaje que realza el aspecto épico de la narrativa del autor, tal como se observa en *La víspera del hombre:* «Se destaca nítida la imponente muralla del Morro. No de mármol ésta, sino de piedra dura de la Isla, aguantadora de siglos y del mar furibundo, y de asaltos guerreros del inglés y el pirata y el holandés también» (p. 152).

«La chiringa azul», por lo tanto, se agrupa bien con los cuentos de protesta político-social, pero representa una narrativa única parecida a lo que observamos en Matute, a lo que ha llamado García-Viño «una nueva novela» que no es «esa del realismo 'hinchado', fotográfico, (y) magnetofónico ....». Se refiere a una novela culta, intelectual, trascendente y, sobre todo, metafísica; o sea, que busca penetrar más allá de las cosas materiales, en el mundo misterioso del espíritu [9]. Claro está que «La chiringa azul» no es novela, pero el calificativo de Manuel García-Viño le corresponde cabalmente, como también le corresponde a muchos otros relatos de la narrativa marquesiana. «Dos vueltas de llave y un arcángel» cabe aún mejor en esa misma categoría de prosa llamada por Juan Benet «imaginativa, misteriosa y claramente elitista» [10]. En tal narrativa el énfasis explícito es sobre

---

[9] MANUEL GARCÍA-VIÑO, *Papeles sobre la nueva novela española* (Pamplona: Colección Cultural de Bolsillo, 1975), pp. 141-49.

[10] JUAN BENET, «La inspiración y el estilo», *Revista de Occidente*, Madrid, 1966, pp. 33-53.

«el entendimiento o sea sobre la personalidad del narrador» [11].
En cuanto a los niveles de significación en este relato, Angus
Fletcher ha dicho algo que nos ayuda a comprender más las po-
sibilidades:

> The whole point of allegory is that it does not need to be read exi-
> getically; it often makes good enough sense all by itself. But some-
> how this literal surface suggests a peculiar doubleness of inten-
> tion, and while it can, as it were, get along without interpretation,
> it becomes much richer and more interesting if given interpreta-
> tion [12].

En general, vemos que el elemento alegórico es frecuente en
René Marqués y que «What counts is a structure that lends itself
to a secondary reading, or rather that becomes stronger when
given a secondary as well as a primary reading» [13]. «La chiringa azul» nos presenta ese «secondary meaning» en su nivel más
profundo, la concepción muchacho-isla que empapa de forma patente la narrativa marquesiana. Es también un cuento existencialista de tipo negativo por su estructuración sobre la frase que
aparece en el desenlace fatal, el «jadeo de siglos» (p. 158) del
personaje hombre (niño)-Isla, personaje cuya angustia se relaciona con el tiempo de siglos y por lo mismo con el dolor no de
un solo hombre, sino de muchas generaciones de hombres puertorriqueños.

Aunque es antitética la frase «realismo figurado selecto», creemos que sirve perfectamente para calificar «La chiringa azul».
Nada más concreto que la percepción intelectual que tiene René
Marqués de la realidad político-social de Puerto Rico. Nada más
figurado que su genio poético-intuitivo. Y la palabra selecto conviene por el aspecto alegórico de este cuento, el cual lo sitúa
fuera del alcance vulgar. El «realismo figurado selecto» tiene
su fundamento en el acercamiento subjetivista, en la sutileza,
en la introspección, y sobre todo en la poetización de lo que suele ser prosaico, concreto, usual, vulgar, u obsceno. Nota pecu-

---

[11] *Ibid.*
[12] ANGUS FLETCHER, *Allegory: The Theory of a Symbolic Mode* (Ithaca, New York: Cornell University Press, 1964), p. 7.
[13] *Ibid.*

liar en el elitismo marquesiano es el recurso a los «tainismos», lo que en sí evoca una época mejor comprendida por el autor que por nosotros los lectores y que por lo mismo requiere conocimientos de la lengua y cultura precolombinas. Las palabras *guamá, guaraguao* y *jiquilete* son, en algún sentido, exóticas, y por eso exclusivas y selectas.

Parte tercera: «El juramento», obra tragicómica quevedesca; el humor amargado; culpabilidad por la asociación.

«El juramento» es un cuento largo, el más largo de todos los escritos por René Marqués, y cuyos elementos tragicómicos lo diferencian mucho de todas las demás obras narrativas del autor. Efectivamente, se destaca en él el humorismo y está tan bien logrado el absurdo, que hemos optado por limitar casi por completo nuestro análisis a esos dos aspectos del relato. Además, lo queremos hacer por otra razón importante: que casi no hay humorismo en sus obras.

A través de una narrativa tan extensa, el humor sólo asoma rara vez, y asoma en forma de unos cuantos retruécanos. Ejemplos de ello son el juego de palabras que encontramos en su novela *La mirada:* «lo conseguía Julito para explorar lo que llamaban discotecas en el Viejo San Juan, aunque había más tecas que discos» (p. 49); «Pero cuando dijo que el fotuto o caracol guerrero se llamaba 'guamo', alguien gritó: '¡qué guame!, y se formó el relajo» (p. 58); «—Baco después. —Dionisio —Baco dije. —Creí que habías dicho bellaco» (p. 74); «—Por favor, váyanse ya. El jolgorio (quiso decir 'velorio') ha terminado» (p. 82).

«El juramento», por lo mismo, es entre otras cosas un exponente del sentido del humor de René Marqués. Es distinto de sus demás muestras por ser aquí el humor elemento constitutivo. Lo que tiene en común con los pocos ejemplos del humorismo en Marqués es su orientación hacia lo caricaturesco y absurdo. Las raras veces que sonreímos en la larga novela *La víspera del hombre* fueron por el bonito e inocente placer de un desgrane de gandules y en éste sobre todo por el cuento referido por Matilde, quien era «una cantaora de cuentos» (p. 236). Sus cuentos frisa-

ban siempre en lo colorado. La anécdota, por otra parte, que ya-
cía por debajo y que volaba por encima de cualquier nota de
humorismo, era seria y compuesta, y tenía por objeto resaltar
el despertamiento moral y la naciente conciencia de Pirulo, y
sabemos que en San Isidro «Reír no era hábito de la gente que
había formado su mundo» (p. 99).

El epígrafe de «El juramento» es de Francisco de Quevedo
y dice así: «*Aguarda, riguroso pensamiento, no pierdas el respeto a cuyo eres. Imagen, sol o sombra, ¿qué me quieres? Déjame
sosegar en mi aposento*» (p. 109) [14].

Según la interpretación que quisiéramos darle al epígrafe con
referencia a lo que sucede en el cuento, consideramos que tiene
que ser el personaje central quien pronuncia las palabras del lema.
Claro está que este mandato «Aguarda, riguroso pensamiento ...» se refiere a los momentos en que el acusado (el innombrado personaje central), a través del largo proceso se ve obligado a encararse con la verdad de que está realmente ante un
tribunal, el cual, por absurdo que le parezca, lo va a condenar
a prisión. Encararse con tal realidad es menos divertido y más
angustioso que dejarse hipnotizar por el «zumbido fascinante»
(p. 109) del ventilador eléctrico que eclipsa en sus oídos «la voz
monótona del hombre flaco del estrado» (p. 109). No sólo es su
voz la que le molesta, sino todas las voces de los jurados, de los
testigos, del abogado, del fiscal y, en fin, le molesta lo estúpido
de todo aquello. Se divierte pues mirándoles las caras, que a él
le parecen de perros ingleses, de gatos famélicos, de monos, de
mangostas; así puede retardar el riguroso pensamiento capaz de
devolverlo a la realidad de que efectivamente está en manos de
un proceso supuestamente legal. Pero no es más que una odiosa,
exagerada e increíble parodia tragicómica. La parte trágica que
se le presenta es el «riguroso pensamiento», la injusticia que él
ve. La parte cómica es la ridícula circunstancia en que se encuentra, la cual se describe así: El personaje central es puertorriqueño y ha sido acusado sin razón. «En él *se estrenaba* un
crimen nuevo, reluciente, recién inventado. Toda aquella alhara-

[14] FRANCISCO DE QUEVEDO, citado por RENÉ MARQUÉS, *En una ciudad llamada San Juan*, p. 109. Todas las citas referentes a este relato se
toman de esta edición.

ca tenía un solo fin: estrenar el crimen. Que era lo mismo que bautizarlo» (p. 116). «El era 'eso' pero por asociación. Esto último todavía estaba envuelto en nebulosa» (p. 117). Despejan la sala de público y pronto «toneladas de artefactos bélicos, variadísimos en uso, forma y tamaño, ocupan con ejemplar compostura los asientos destinados a los espectadores» (p. 110). Era «—Parte de la evidencia» (p. 110). Arrestan al hombre y lo mantienen incomunicado, y poco a poco se le arrebatan sus atributos de ser libre. Después de un año de estar encarcelado sin celebrarle proceso (la ley sólo permite seis meses), se le olvida todo, hasta su nombre, y queda gritando a más no poder: «—¡Por Dios, un nombreeee!» (p. 113). El abogado defensor escogido por la corte lo considera culpable. Se habla de sobornos, pero el pobre no tiene ni un quinto. ¿Y su crimen, cuál es? Parece que «en una parada del 4 de julio, frente al capitolio, no había saludado la bandera (la norteamericana...)» (p. 118) y que «él se fumaba un cigarrillo en vez de saludar la bandera... La segunda prueba de su asociación fuc cl juramento» (p. 119). Con el tiempo se prueba que había jurado, lo cual forma la base para el humorismo del relato, y es aquí donde René Marqués muestra su inteligencia jurídica y su capacidad creadora, porque al cambiar la línea del interrogatorio el pobre acusado mete la pata tras contarnos toda la historia de su vida hasta el octavo año.

El hombre ha sido siempre un rebelde que «no acostumbraba saludar cosas» (p. 119). Es su memoria lo que nos revela el detalle (entre tantos y tantos detalles más) que ha hecho que se encuentre ante el tribunal a los treinta y seis años de edad. El detalle en cuestión es que una maquinilla Remington (máquina de escribir) había tecleado su nombre en una ficha, «en una oscura escuela primaria de nombre Jefferson» (p. 131). De niño, por no comprender el inglés y por decir que él era «de Lares» (p. 129) cuando la directora le pregunta «—¿Es o no es usted americano?» (p. 128), el hombre es condenado a prisión al terminar el proceso.

Estimamos que este cuento muestra tanto el sentido patriótico como el sentido de la justicia del autor ante la parodia de juicio. El tono cínico alcanza una intensidad enorme por medio del extenso material narrativo, concertándose perfectamente con la larga duración de un proceso real y con los consecuentes gestos aburridos y las monótonas voces de los que actúan en este escenario repleto de evidencia «*por asociación*» (p. 117) y «fantoches de un titiritero desconocido y burlón» (p. 131). La censura del autor se dirige contra el injusto sistema establecido por el tribunal puertorriqueño.

Estimamos también que la idea principal que se explota no es existencialista, sino que tiene intensidad de protesta política nacional así como internacional.

El que ha leído *La víspera del hombre* fácilmente reconocerá la siguiente escena de «El juramento» —y sólo reconstruimos una pequeña parte de ella—: cuando es niño el personaje central llega de Lares a Arecibo y en la escuela se equivoca de fila cuando los alumnos forman para jurar fidelidad a la bandera, metiéndose en la fila de las hembras. Luego prefiere «quedarse quieto, aguantando la mirada tremenda [de la principal] sin fingir que pronunciaba palabras que desconocía» (p. 126). Lo mandan después a la oficina donde está la principal, y leemos: «Dio tres pasos más y casi tocó el escritorio. Sobre el borde opuesto ella descansaba el busto monstruoso, los pezones en alto relieve, agresivos, bajo el apretado sostén .... Lo que pasa después es el interrogatorio, el ataque, los dolores agudos, escozores ... humillación» (pp. 28-29).

La variación entre lo dicho y hecho en este episodio y lo dicho y hecho en el episodio semejante de *La víspera del hombre* es poca, por lo que volvemos a llamar la atención sobre las repeticiones en que incurre René Marqués. A nuestro parecer sí le resta valor a su narrativa, sobre todo aquí en lo que atañe a los niños que no juran fidelidad a la bandera y que son notablemente del mismo pueblo, Lares. Aunque no hemos tratado las obras por orden cronológico conviene decir que «El juramento» se remonta al año 1955 y que *La víspera del hombre* es de 1959.

Ahora bien, hay momentos cumbres en este cuento que demuestran una hábil colocación de los detalles anecdóticos. Primero vemos al personaje central, sentado en la corte, y al juez leyendo el veredicto. Esto ocurre al principio de la narración, y sin embargo, «Ya él sabía el veredicto» (p. 109). Primeramente se nos narra su encarcelamiento, luego se nos revelan las preguntas que le hacen al acusado y por fin le preguntan si ha jurado. Entonces leemos:

—¿Juró usted?
—No.
—¿Hizo usted el juramento?
—No.
—¿No juró usted?
—No.
—¿Recuerda haber hecho el juramento?
—No (p. 120).

Se dice a continuación que «El presidente del jurado trató de ahogar un bostezo, pero no pudo. El bostezo le salió enorme» (p. 121). Entonces se repite el mismo interrogatorio, después del cual

> La monita de la segunda fila empezó a roncar con musicalidad de arpegio. Y él no pudo evitar que también se le cerraran los ojos. Pero siguió mirando automáticamente la palabra clave: 'No (pausa). No (pausa)'. Las pausas las llenaba el fiscal con las mismas preguntas, al revés y al derecho, al derecho y al revés. La sincronización no fallaba. El ritmo era perfecto. La sala toda dormía a pierna suelta .... De pronto ocurrió lo inaudito. El fiscal rompió la sincronización. —¿Jura usted no haber hecho el juramento nunca en su vida? (p. 121).

Lo que viene después resulta eminentemente chistoso. Uno por uno se despiertan los actores de la forma más caricaturizada y animalesca.

Aquí es donde el humorismo brota completo. El personaje comienza a examinar mentalmente su vida, remontándose hasta el momento del «alumbramiento de su madre. O quizá más atrás .... La maquinita empezó a moverse. Un mes de embarazo. Nada. Tres meses. Nada .... Nueve meses. Oh, sí» (p. 122). El contesta en voz alta:

> «—¡Juro por Jesucristo que nunca había visto un renacuajo tan feo! El juramento había sido de su padre. Se refería a él, desde luego. Pero él sólo dijo: —Guaaaa! y eso no era juramento .... Todos los animales de la sala sonreían .... Y comprendió que no había escape. Tenía que examinar el año octavo. ¿Por qué ése? (pp. 122-23).

Lo que sigue refiere el largo episodio de la bandera y la principal, que ya vimos, y después de recapitular los hechos (se tarda cuatro páginas) de ese episodio, refiriéndose al interrogatorio, pronuncia: «—¡*Juro* por mi madre que no soy americano! ¡Y *juro* por Dios Santo que nadie nunca me obligará a serlo!» Uno de los alguaciles dice: «—Avísale al juez que ya a éste se le pasó el berrinche—» (p. 129).

El procedimiento narrativo empleado consiste en retener lo más posible el hilo o curso de la anécdota principal introduciendo en ella, mediante los recuerdos, la triste historia de este personaje, un rebelde puertorriqueño que fue a parar en prisión por haber hecho el juramento. ¿Cuál? Ya no tenía importancia el «cuál». El mismo dijo haberlo hecho. He ahí el desenlace trágico del que perdió su identidad. El aspecto humorístico lo crea él mismo divirtiéndose durante el proceso con un sentido de humor cínico y burlón, sólo que él es quien sale burlado. Nosotros, los lectores, nos reímos de ver cómo se dirige al fiscal recitando diálogos de un tiempo remoto. Vemos que el pobre se condena a sí mismo porque está disminuido y separado de quien realmente es y ya no le queda voluntad ni inteligencia para ayudarse.

Cuando el fiscal cambia de pregunta surge el momento culminante de humorismo, que se expresa con los adjetivos y sustantivos que vienen formando la imagen absurda en la mente del acusado:

> La rotura del ritmo fue catastrófica para la modorra plácida y dulce del tribunal. Al hombre flaco con cara de gato hambriento se le descocotó la cabeza y el mango del martillito se le metió en un ojo. El presidente de jurado se astilló un diente, el segundo incisivo superior, al cerrar la boca con golpe seco de cocodrilo goloso. La mona de la segunda fila dejó de roncar y, del susto, aguantó la respiración. El aire, encerrado así, de pronto, en su cuerpo regordete, no encontró salida lógica y se convirtió en pedito suave, pero audible (p. 121).

Parte cuarta: «La muerte», desesperación existencial; la impotencia espiritual del personaje sin nombre; el bajo relieve histórico-cultural.

«La muerte» lleva el siguiente epígrafe: «*No hay sólo un ser para la muerte, sino una libertad para la muerte*» (p. 106).

Un breve resumen de este relato se esbozaría así: El personaje principal, cuyo nombre ignoramos (igual que en «El miedo»), finge que duerme para evitar un disgusto con Yolanda. Esta se prepara para ir a la misa de nueve haciendo todo el ruido posible para despertar al personaje a quien ella trata como marido. El está de malhumor al levantarse, y se viste y lava «con gestos lentos de autómata» (p. 106) y con «urgencia por salir» (p. 107). No tiene «plan definido» (p. 108) y en una calle de «la vieja ciudad colonial» (p. 108) está casi inconsciente de la actividad extraordinaria. Los pensamientos que van tomando forma en su mente son los mismos: «vida-muerte, muerte-vida, muerte» (p. 109). Ha bebido la noche anterior, por lo cual se siente «hipersensibilizado» (p. 109), para «el terror espantoso de esa certidumbre» (p. 109), pero sin poder recordar el momento exacto en que «había empezado aquello» (p. 109). Se fija después en unas piernas femeninas y la visión de esas piernas «de pantorrillas redondas que asumieron suavemente un ángulo más agudo ... le produjo un ligero vértigo» (pp. 110-11). Se acuerda de su jefe, a quien Yolanda lo compara como modelo de hombre útil. Se entrega a muchos pensamientos que le torturan en el trabajo, tales como la angustia que siente por su impotencia en su carrera, y el miedo, miedo de que «sobre él pesara la resposabilidad de una vida que no lograba descifrar» (pp. 112-13). Más adelante, y ya en la calle, ve la bandera isleña alzada por unos alumnos revolucionarios. Nota que en los ojos de éstos hay una «seguridad absoluta »(p. 114) de que tienen una causa por qué vivir y morir. Los alumnos uniformados quieren formar parte del desfile y al personaje del cuento se le ocurre un modo de dar sentido a su existencia. Truenan las armas de fuego y caen muchos de estos adolescentes. Ve a uno «herido luchando desesperadamente por mantener en alto el pabellón revolucionario» (p. 117).

El personaje principal agarra la bandera, lo que le produce «una jamás sentida sensación de elevación mística .... *Era el acto de actuar lo que salvaba* ... una ráfaga candente le abrasó el pecho» (pp. 117-18).

En «La muerte», también José M. Lacomba ve el vínculo entre el epígrafe y el relato. Dice: «La intención existencialista de

'La muerte' nos la adelanta el autor con el lema» [15]. Es esto, la intención del autor, lo que nos interesa. Nos parece cuestión decisiva ya que con la palabra «intención» se denota una situación previa en la cual un escritor se acerca al acto de narrar con una idea clara, con una concepción literaria. La idea del epígrafe, «... una libertad para la muerte», decide definitivamente la estructuración formal del cuento. A traves de todo el relato el sentimiento más intenso que se impone en el personaje es el terror de no saber por qué vive y el creer «haber descubierto que no tiene alma. Soledad. Y siempre una fuerza absurda empujándole a actuar, a vivir» (p. 113). Es una vida que le parece estéril y que, sin embargo, él no es capaz de variar. En los adolescentes patriotas que ve parece haber decisión, seguridad absoluta y no viven «como autómatas» (p. 114), ni parecen «sentir el miedo metafísico» (p. 114) que le atormenta a él. Se siente libre de su terror cuando por fin escoge otro destino más allá del simple vivir: la muerte. José Emilio González explica: «La muerte presenta una solución paradójica porque 'para salvar la existencia' el personaje, se la niega suicidándose. La muerte unida dialectamente a la vida, es la desembocadura del tiempo existencial» [16].

«La muerte» tiene un defecto grave en lo que atañe a la aplicación específica del motivo existencialista. El crítico opone el juicio siguiente a tal aplicación:

> no estoy de acuerdo con estos flirteos existencialistas, por más que sirvan para enterar al mundo de que nosotros también sabemos de eso. Es algo pegadizo que no responde a nuestra situación histórica. El absurdo de Camus apenas podría motivar a un puertorriqueño, en Ponce en 1937. La bandera que caía en la masacre no fue rescatada por el protagonista porque para él 'la bandera, la patria, la revolución tampoco tenían significado alguno'. En este sentido «La muerte» es antípoda de «Otro día nuestro» [17].

Queremos aclarar que tal motivación, unida a tal acto no forma el anacronismo; lo forma el momento por tratarse del año de la

---

[15] José M. Lacomba, p. 18.
[16] José Emilio González, *El Mundo*, San Juan, P. R., 29 de oct., 1955, p. 20. 1955, p. 20.
[17] *Ibid.*

masacre, 1937. El reparo es cuestión por eso, no de lo inverosímil del acto, que al fin no nos lo parece tanto, sino de las circunstancias de lugar y de cultura. José M. Lacomba, al criticar el arte literario de «La muerte», dice:

> Me admira que Marqués, quien nunca ha ocultado, tanto verbalmente como por escrito, su simpatía por la independencia de Puerto Rico, haya logrado aquí una obra universal ... sin intentar 'literatura de compromiso' impuesta, y mucho menos un panfleto político. Supo mantener ... la distancia estética entre el trágico hecho histórico ... y el tema existencialista [18].

Al decir que «La muerte» no es literatura de compromiso debería referirse únicamente a la distancia artística, porque vemos lo comprometido que está el autor con el tema político-social. Es otra muestra de su sensibilidad por lo puertorriqueño. Esta insistencia en el tema político nos obliga a pensar con cuidado en la categorización de este cuento.

Ahora bien, ya sabemos que los cuentos «el miedo» y «La muerte» eran uno, pero que el autor los dividió e hizo dos. También vimos que Charles Pilditch y José Emilio González, hallan semejanzas en los rasgos de los personajes centrales de uno y otro cuento. Queda por explicar, por tanto, por qué son dos cuentos. Nosotros ofrecemos la explicación siguiente: Marqués, al dividir su cuento para hacer dos, se fijaba más que nada en las exigencias, no del existencialismo como quieren establecer algunos críticos [19], sino en las exigencias de su propio entusiasmo independentista. Lo que condena René Marqués en sus personajes es la falta de patriotismo y no solamente una apatía ante la vida en general. Queda establecido que estos personajes son hombres-isla y por consiguiente el autor tuvo que reconocer que su personaje central de «La muerte» quizás se viera ridículo y anacrónico, pero llamaría la atención sobre el sentido de nación, el puertorriqueñismo. Dicho personaje ahora podía promover más la causa independentista y el cuento resultaba tan político-social como existencialista puro. Esta también fue la razón por la cual

---

[18] José M. Lacomba, pp. 16-17.
[19] Charles Pilditch, pp. 16-17.

nosotros lo categorizamos como perteneciente al tipo político-social. René Marqués no simpatiza con el personaje central, paralizado por la impotencia espiritual, pero sí le importa describir su acto de suicidio lo más artísticamente posible. Ha sabido profundizar en la psicología del personaje para presentarnos unas interiorizaciones que delinean bien su ser, ser que «Habría preferido arder en su propio fuego antes que violentar su indolencia» (p. 110). El autor censura así el objetivo de su creación, porque igual que el personaje central de «El miedo», siente aversión por la política, tanto que ni siquiera le gusta hablar de ella.

Las semejanzas que vemos entre este cuento y «El miedo» son principalmente la monotonía y esterilidad de la vida y el miedo metafísico que tienen los personajes. En lo que respecta a los personajes femeninos. Yolanda en «La muerte» y Adela en «El miedo», tienen rasgos distintos. Adela es sufrida y consoladora, y Yolanda se empeña en hacer un hombre útil de su amigo. Las dos, en cambio, se prestan fácilmente para el placer sexual, «sin innecesarias complicaciones, sin que fuese preciso poner en juego los ardides de la tradicional caza de la hembra» (p. 110). La función de ambas mujeres no es otra que destacar la impotencia espiritual de los personajes masculinos. En «La hora del dragón» y en «Isla en Manhattan» observamos sendas mujeres como personajes centrales bien trazados y capaces de tomar decisiones propias .Yolanda y Adela también contrastan con los hombres con quienes viven, porque ellas no están desorientadas como ellos. Técnicamente la acostumbrada disposición estratégica del material, la ocultación de datos que pueden describir al personaje, hacen que la caracterización se desarrolle lenta. No es hasta la quinta oración (p. 117) cuando el lector se entera de que el personaje central es masculino, un «él».

La voz naradora no tiene en «La muerte» ninguna complejidad nueva. Todo se narra desde el punto de vista omnisciente. Mediante signos tipográficos diferentes se nos indican los pensamientos del personaje central, por ejemplo: «*Libertad para actuar,* para dar sentido a la existencia» (p. 116). Estos pensamientos reflejan una fuerza psíquica poderosa, cosa que revela una tendencia a la cavilación filosófica, dando la impresión de que el personaje va guiado por una neurosis de hombre intelectual. Las siguientes frases —¿fragmentos de lecturas, de cavilaciones?— representan lógicamente los pensamientos en cuestión:

'Esto' no podía ser 'aquello' .... (p. 109). Todo acto preconcebido significaba *un paso más hacia La muerte* .... (p. 110). En cierto modo era un consuelo pensar que el jefe sabía siempre lo que él debía hacer .... (p. 112). Esto será reflexión sobre su trabajo y la forma en que su jefe le manda. La palabra política quedó unos instantes en su cerebro como un cometa perdido .... (p. 114). Y le pareció descubrir *algo* en los ojos de los adolescentes que desvaneció su risa .... (p. 114). ¿De dar razón a la existencia a pesar de *La muerte?* .... ¿Sabrían ellos que aquella era la encrucijada, la terrible e implacable encrucijada a la cual él se enfrentaba diariamente? .... (p. 115). *Salvar el alma* era una frase sin sentido; lo esencial era *salvar la existencia* .... (p. 116). No se podía evitar la muerte. Pero sí podía *aceptarse* (p. 116). Pero se sentía libre. *Libre* para escoger su destino .... (p. 117). Lo que importaba era la acción. *Era el acto de actuar lo que salvaba* .... (p. 118). La sensación avanzó rápidamente cuerpo arriba. Antes de que llegase a su garganta pudo pensar: '¿Será esto la muerte?' (p. 118).

Al leer esta serie de pensamientos nos convencemos de que la neurosis a la cual nos referimos le dejaba una sola salida: la acción. En este sentido se asemeja al hombre de «En la popa hay un cuerpo reclinado», ya que los dos carecen de propósitos claramente definidos por los cuales vivir. Escogimos el siguiente trozo, por la forma en que Marqués poetiza el episodio trágico del final del cuento:

Y comprendió al fin que era la música de la banda ya silenciada. Sólo el chico de los platillos, con las piernas destrozadas por la metralla, continuaba penosamente golpeando los discos. Y el sonido rítmico de aquel metal, como acompañamiento trágico de las armas de fuego, producía un efecto enloquecedor (p. 117).

«La muerte», ¿en qué categoría cabe mejor, la tercera por su trágico desenlace, o en la cuarta por su realce nacionalista? Tiene tono existencialista negativo y el personaje vive angustiado, pero los hechos históricos también son importantes. Los jóvenes no pueden ser completamente aceptados por el autor, puesto que no entienden bien el problema. En cambio, el desprecio del autor por la impotencia espiritual y la apatía del protagonista es grande. En todo caso, la intención del autor es censurar al antagonista por su falta de patriotismo sincero, pues de serlo más vencería su angustia, al menos en parte.

Entre los recursos que se destacan en esta narración, nos impresionan favorablemente la capacidad descriptiva y el bajo relieve cultural.

Las campanas de la catedral prestan el fondo cultural y el colorido para «La muerte» así como para «El miedo». Son sonoras, bonitas y tienen un significado utilitario para Yolanda y Adela. Son parte de la atmósfera colonial católica, atmósfera cuya escencia es puertorriqueña y cuya presencia es observable en *La víspera del hombre,* «La hora del dragón» y «En una ciudad llamada San Juan». Forman parte de esos elementos ambientales como el coquí y el ausubo, como el mar y el color caoba, como el ron. Las campanas, por lo tanto, resultan siempre evocadoras de un Puerto Rico detenido en el tiempo, tranquilo y pintoresco. Las campanas y las catedrales, a diferencia de las luces de neón, de gramófonos automáticos, de hileras de botellas, no resultan monótonas, ni limitan demasiado las ideas del autor porque no se repiten con demasiada frecuencia en su función de marco histórico cultural. Tal marco, en su carácter y condición de elemento constitutivo de estos relatos, sirve como un vivo recuerdo bien comprendido por el autor; representa el gran contraste entre la desesperación existencial de los personajes y el lugar lindo y pacífico en que viven.

V. OTROS ASPECTOS TEMÁTICOS Y RETÓRICOS PARTICULARES EN LA NARRATIVA MARQUESIANA: CRÍTICA DE CATORCE CUENTOS

Parte primera: Temas y tonos

En la extensa narrativa de René Marqués algunas obras han dado lugar a discusiones sobre si representan una partida de la temática central del autor. Se trata de los cuentos «Isla en Manhattan», «La crucifixión de Miss Bunning», «El milagrito de San Antonio», «Pasión y huida de Juan Santos Santero», «La ira del resucitado» y «El cazador y el soñador». Opinamos que estos cuentos tienen en común la misma preocupación que ya hemos definido en las obras analizadas: buscar y celebrar todo lo que sea por esencia puertorriqueño. El autor casi siempre procura conservar viva la identidad puertorriqueña dejándola aclarada e interpretada, insertándola en una literatura perdurable.

Nada hay en estos cuentos que constituya una nueva temática, aunque sí una variación de circunstancias y tono. Agrupamos primeramente estos seis cuentos afirmando que comparten un propósito similar, el de señalar y exaltar la particularidad humana puertorriqueña.

«Isla en Manhattan» celebra la capacidad de una mujer puertorriqueña para independizarse y superarse en su lucha contra la apatía, la ignorancia y la falta de coraje que han sojuzgado a sus coterráneos dentro del ambiente represor de Nueva York y San Juan. Juanita (personaje central) se vale de su fuerza interior, de su ímpetu individual, esa chispa redentora que puede librar a las minorías. Aquí está también el elemento universal del cuento.

El título, «Isla en Manhattan», encierra una intención artística muy acorde con el tema. Se trata del retruécano formado con la preposición «en». El lugar se llama Manhattan Island y a veces Manhattan Isle. La traducción al español es Isla Manhattan a secas o quizá Isla de Manhattan, pero «Isla en Manhattan» alude a la isla de Puerto Rico que se ha trasladado a Nueva York, a la situación étnica, al barrio puertorriqueño como minoría «aislada». En tales circunstancias la pequeña isla podría perder su identidad, su individualidad por entre los vericuetos de una civilización extraña y hostil. Juanita, sin embargo, se revela como mujer orientada hacia lo positivo de su ser, está movida por consideraciones idealistas y puede realizarse como persona venciendo a Nico, quien se deja llevar por motivaciones dañinas. El siguiente pasaje nos entera del momento decisivo del cuento:

> Y descubrió lo que no había sabido momentos antes: el miedo de Nico. Un miedo casi animal .... Por segunda vez, esa mañana entendía algo con claridad hiriente. Entendió a Nico así, casi de pronto. Vio cuánto de humanidad había tenido que entregar él para llegar a 'foreman'. Entendió el precio de su triunfo en la metrópoli. Y entendió su miedo. Pero el entendimiento le dio asco (p. 86).

Juanita decide actuar a favor de ocho condenados, denunciando la conducta de Nico. Al actuar así, siente que la justicia que ha de liberar a los ocho condenados le devolverá su propia libertad. Y echa a andar calle abajo. El reloj de una farmacia marca las doce. Ella, al ver las dos manecillas juntas, hace instintivamente la señal de la cruz. Como si en la metrópoli sonara el *Angelus* de la iglesia de Lares (p. 87). Lo particular del caso de Juanita es que ella no permite que su vida de prostituta ofusque su visión idealista ni que impida para nada la superación de su espíritu. La fe de Lares se refiere incuestionablemente a un retorno hacia ella misma, hacia el fondo de su alma, hacia su identidad, religiosa sí, pero humana e individual antes que nada. Es por eso la celebración de su dignidad individual puertorriqueña. Su decisión representa un afianzamiento personal con su circunstancia isleña. Más que un caso de simple supervivencia es uno de exaltación, de superación. Aquí la mención de Lares responde a una sensación de paz, de alegría, sensación que se experimenta cuando se promueve la libertad. Rafael Falcón apunta que «la justicia de los ocho condenados le devolvía su propia libertad»[1]. Nosotros estamos de acuerdo. La «satisfacción»[2] aumenta no sólo por un noble acto social, nacido de su idealismo, sino también porque con esto se libera más a sí misma, lo cual intensifica el gozo íntimo de su persona que hacía tiempo estaba limitado por Nico.

En el caso de Juanita se cambia un destino y se confirma el valor del autodeterminismo. Así tenemos que suponer que este personaje se inspira en lo que le ha dado Lares, no porque Puerto Rico se independizara por Lares, lo cual no ocurrió, sino porque Lares es un valor en sí. Los pueblos, por lo común, tienen un valor intrínseco como creación social formadora del hombre. Juanita es para el autor otra representación de la isla, mujer-isla. En esa configuración étnica —la isla puertorriqueña dentro de Manhattan Island— ella es un elemento positivo. Si bien el autor se interesa por condenar la represión norteamericana en «Isla en Manhattan» es más que patente que se interesa también por destacar los altos valores humanos tal como los representa Juanita, quien muestra coraje, inteligencia y, al final, un buen criterio étnico. Al firmar esa solicitud de nuevo juicio para los ocho negritos, subraya su intención de actuar de acuerdo con las leyes establecidas.

Rafael Falcón explica que en los cuentos «Tres hombres junto al río» y« En una ciudad llamada San Juan» se da «la misma condición de coloniaje»[3] y que en «ambos relatos es palpable una toma de conciencia de una posible liberación por medio de la rebeldía física y el derrumbe del mito de la impotencia y la incapacidad»[4]. El reparo que hacemos tiene que ver con la diferencia de épocas en que se desarrollan uno y otro relato.

En el primero los taínos no tenían a qué recurrir más que a la violencia, mientras que en el segundo ya había un orden es-

---

[1] RAFAEL FALCÓN, «La emigración puertorriqueña a Nueva York en los cuentos de José Luis González, Pedro Juan Soto y José Luis Vivas Maldonado», Diss. Universidad de Iowa, 1981, p. 139.
[2] *Ibid.*
[3] *Ibid.*, p. 105.
[4] *Ibid.*

tablecido. No negamos que «Isla en Manhattan» también protesta contra este coloniaje, aunque la acción ocurre en Nueva York; pero Juanita, amarga, opta por la vía pacífica representada por la solicitud. Conviene señalar también que el epígrafe de Gabriela Mistral armoniza con la actitud del personaje central. Sin saber si ha servido de base única para el cuento, observamos que la relación es estrecha. He aquí el epígrafe: «¡*Cordelia de las olas, Cordelia amarga!*» (p. 73). Esta expresión romántica se ha convertido en un cuento cuyo final es también poético; lo repetimos: «Como si en la metrópoli sonara el *Angelus* de la iglesia de Lares» (p. 87). Aquí se ve también el mismo enfoque subjetivista, tan notable en la narrativa marquesiana. Lo comenta Betty Rita Gómez-Lance aclarando que es en sí un recurso literario típico de René Marqués [5].

Rafael Falcón ha visto en Marqués la capacidad creadora para transformar a sus personajes: «En sí, el rebelde Nico en Puerto Rico, se convierte en Nueva York en un sumiso ... la indecisa Juanita, en una rebelde. Ha habido un proceso de inversión en el desarrollo .... Nico ha ido perdiendo sus atributos humanos, Juanita los ha ido desarrollando» [6].

Rafael Falcón plantea también el problema de si «existe alguna diferencia entre el pasado y el presente» [7] refiriéndose a los dos cuentos «Tres hombres junto al río» y «En una ciudad llamada San Juan». Hemos dicho que sí existe la diferencia, que en este último cuento había un sistema u orden establecido más arraigado y que en el primero no lo había todavía. Claro está que existe en parte «la misma condición de coloniaje» [8] y que si el peregrino (protagonista) del segundo cuento hubiera recurrido a las autoridades quizá no se había hecho nada, ninguna justicia contra tal abuso. Sin embargo, agregamos que Juanita en «Isla en Manhattan», una puertorriqueña, víctima también,

---

[5] BETTY RITA GÓMEZ-LANCE, «Los cuentos de René Marqués», *Revista Bimestral de la Universidad de El Salvador* (San Salvador), 90, núm. 2 (1965), p. 91.

[6] RAFAEL FALCÓN, p. 141. Véase también JOSÉ M. LACOMBA, «Portada e Introducción», en RENÉ MARQUÉS, *Inmersos en el silencio* (Río Piedras: Editorial Antillana, 1976), p. 15.

[7] FALCÓN, p. 105.

[8] *Ibid.*

ha recurrido al procedimiento legal: la solicitud o petición. En este aspecto vemos alguna semejanza entre ella y el viejo protagonista de «Otro día nuestro». En la boricua rebelde que es Juanita se perfila «el tema político vinculado al tema social ... el estado de deshumanización común en el hombre de la sociedad urbana contemporánea» [9]. En Juanita destaca esa «proyección más universal» [10], cuando logra independizarse de Nico. En lo que atañe al personaje Juanita, Rafael Falcón apunta: «Marqués intenta probar que es la mujer en lugar del hombre la que posee la fortaleza para enfrentar las adversidades de la ciudad» [11].

Así como es raro que a los personajes norteamericanos se les atribuyan cualidades de bondad o de respetuosidad en la narrativa puertorriqueña que aborda el tema de la emigración [12], también es raro que el tono de René Marqués sea caritativo para la presencia americana en la isla. En su cuento «La crucifixión de Miss Bunning» pinta a una mujer norteamericana que ha ido a Puerto Rico a cantar. La situación es la que sigue:

> Morir de hambre en Chicago o saciar el hambre de unos pobres caníbales en el Caribe no le parecía, a la postre, demasiado diferente.
>
> —Está bien. Dígale a esos benditos salvajes que iré.
>
> El engaño fue de ellos, porque su agente había enviado una foto suya de veinte años atrás. La sorpresa fue suya, pues en vez de caníbales en una isla semidesierta encontró gente casi blanca viviendo de modo civilizado, guiando vertiginosamente relucientes autos norteamericanos, bailando admirablemente el 'twist' y hablando o, comprendiendo al menos su inglés sureño ....
> ....
> Aplausos aquí de sus iguales, los paisanos rubios, que veían en ella una especie de fenómeno arqueológico, supervivencia inexplicable de la década del veinte (pp. 164-65).

En cuanto a su música, su estilo arcaico de cantar, tocar y dramatizar la canción; y en cuanto a cómo es recibida Miss

---

[9] *Ibid.*, p. 140.
[10] *Ibid.*
[11] *Ibid.*
[12] *Ibid.*, p. 144.

Bunning, René Marqués nos describe la reacción del público puertorriqueño:

> Aplausos también de los nativos, que veían, más que oían, con horripilada fascinación, el espectáculo de aquella vieja y fea señora norteamericana, precisada, a tan inadecuada edad, a hacer el ridículo para ganarse el pan, provocando en ellos la conmiseración, que expresaban en una frase singular: ¡Ay, Bendito!, para ellos muy típica, sin duda (p. 165).

El tono del autor, expresado en la reacción pública, formado por coterráneos suyos, no es de admiración, sino de conmiseración. El ¡Ay, Bendito!, mientras comunica compasión, ¿puede expresar otras emociones? El tono realista del autor y esta frase «singular» (p. 165) hecha extensiva al público parecen encerrar varias posibilidades: la bondad, el hastío y la diversión, entre otras. Por lo expuesto aquí se ve que el cuento no representa una separación de la temática central marquesiana, pero unas nuevas circunstancias sí, habiendo de particular en él que mediante el personaje americano se distinguen otras consecuencias sociales de la política colonialista.

Por una parte René Marqués parece querer decir que sus compatriotas le tienen piedad a Miss Bunning, pero en su ensayo «El Puertorriqueño dócil» de hecho condena la docilidad de sus compatriotas. Quizá esto no sea una contradicción, pero la «conmiseración» que les atribuye, ¿no nace de la caridad? Y ésta a su vez, ¿no fomenta la docilidad? Tenemos la impresión, por el contexto total de su obra narrativa, que el autor no tardaría en decir que es más respetuoso el público puertorriqueño del Old San Juan que los mismos «paisanos rubios» (p. 165) de Miss Bunning. Se distingue también este cuento por ser el único cuyo personaje central es norteamericano. Consideramos que el relato sobresale por su caracterización trágica, por su síntesis anecdótica, por su creación de ambientes y por sus penetraciones en el aspecto humano-social del personaje colectivo, el público puertorriqueño. Vemos a Miss Bunning como prototipo por excelencia de cierto esquema norteamericano venido a menos. El tema, en cambio, se reduce a lo mismo, la crítica del autor hacia la presencia de lo norteamericano en la isla.

«El milagrito de San Antonio», así como «Pasión y huida de Juan Santos, Santero» son dos cuentos que a primera vista pudieran parecer un alejamiento de la temática medular marquesiana. Representan, sin embargo, no tratados narrativos sobre la situación del catolicismo en la isla, sino la idea del autor sobre el espíritu individualista puertorriqueño. En un sentido fundamental vemos en los personajes centrales —la viejecita creyente y Juan Santos— la misma intensidad personalísima por conservar lo que para ellos forma la esencia de su modo de ser, su verdad. Para la viejecita se trata de conseguir que el padre Luis le bendiga una imagen de San Antonio hecha por don Zoilo. Es una imagen «tosca, labrada en roble del país» (p. 40). El que sea de «roble del país» es indicio indiscutible de la intención marquesiana y que el santo sea trigueño lo confirma. La viejecita, al ver los santos de yeso, piensa: «Y un San Antonio de palo tampoco sería rubio .... ¿A quién se le ocurre pensar que San Antonio sea así, como un americano?» (p. 43).

Al final del cuento resuelve sola su problema: «El San Antonio de la abuela estaba bendito —razona con lógica contundente—, y como éste va a ocupar el lugar de aquél, la bendición de aquél le toca también a éste» (p. 45). Concha Meléndez anota que «La viejecita creyente es una creación desarrollada con fina ternura y graciosa malicia» [13]. José M. Lacomba agrega que el autor «crea toda una teología propia, *sui generis,* auténticamente de campesinado boricua» [14]. Aquí volvemos a destacar la idea del individualismo boricua y del ingenioso e indomable espíritu puertorriqueño.

Merece atención especial el leitmotif cuyo efecto es intensificar el dolor de la viejecita de Junquillo. La siguiente frase aparece en tres pasajes: «le arden los pies y el sudor empapa su frente» (pp. 39, 41, 44). Otra que aparece dos veces es: «bajo el sol inmisericorde» (pp. 41, 45). Sorprenden las semejanzas artísticas entre el leitmotif de René Marqués y el de Pío Baroja en el cuento «La sombra» [15]. La constancia de la viejecita pasa por

---

[13] CONCHA MELÉNDEZ, citada en artículo de JOSÉ M. LACOMBA, en RENÉ MARQUÉS, *Inmersos...,* p. 11.
[14] JOSÉ M. LACOMBA, p. 11.
[15] PÍO BAROJA, «La sombra», en GUSTAVE W. ANDRIAN, *Modern Spanish*

la dura prueba del cura castellano y por la del «bochorno del mediodía» (p. 44) sin sufrir mengua.

Lo que tiene el cuento de antiextranjero se observa cuando el padre Luis «deja escapar unas frases que suenan brutalmente implacables, quizá por el énfasis castellano del acento» (p. 41). Y también cuando el personaje piensa: «Y mira con desconfianza los ojos azules de la imagen extranjera ... como un americano» (p. 43).

Ese mismo espíritu individualista lo hallamos en Juan Santos, Santero que cuanto más perseguido se ve, tanto más se aferra a su ocupación de hacer santos, y esto es la esencia de su modo de ser y de vivir. Lo ocurrido en el cuento «Pasión y huida de Juan Santos, Santero» nos recuerda lo ocurrido en «Los herejes» [16], de Arturo Uslar-Pietri, un cuento en que unos católicos fanáticos atacan a pedradas a una niña protestante. En la historia de René Marqués son protestantes los fanáticos y el conflicto que provocan es igualmente trágico. José M. Lacomba resume la anécdota:

> Juan Santos es víctima de un ministro protestante intransigente que, de acuerdo a sus doctrinas, quiere extirpar del barrio que domina, pues éste es además un cacique político, la 'herejía' del santero, último remanente de unas creencias religiosas que él no puede tolerar en su barrio. El contraste de los dos caracteres protagónicos, magistralmente trazados por Marqués, conducen al inevitable final trágico, que comparten un animal humanizado, Güira, la perra sata del santero, y mujeres del barrio campesino que, con ribetes de verónicas, nos traen a la memoria el coro de las tragedias clásicas griegas [17].

En un sentido nos parece que la retirada de Juan Santos encarna una vez más al pueblo desheredado, pueblo sin rumbo, pero pueblo invencible en lo que se refiere a su humanidad particular puertorriqueña. Su resistencia es pasiva. Se nos explica que don Teyo, el predicador evangélico, volvió al pueblo «hecho el ministro de una religión extraña» (p. 27). Así, el antiextranje-

---

Prose: an Introductory Reader with a Selection of Poetry, 2.ª ed. (London: The Macmillan Company, 1969), pp. 21-22.

[16] ARTURO USLAR-PIETRI, «Los herejes», en ÁNGEL FLORES, *Historia y Antología del cuento y la novela en Hispanoamérica* (New York: Las Américas Publishing Co., 1959), pp. 634-41.

[17] José M. LACOMBA, pp. 10-11.

rismo forma parte fundamental del tema en estos dos cuentos, tal cual figura en «Tres hombres junto al río», en el cual leemos:

> Todo en el universo había tenido un sentido ... pues los hombres no son dioses y su única responsabilidad es vivir la buena vida ... Y defenderla contra los caribes, que son parte del orden cíclico, la parte que procede de las tinieblas ... Y la luz ha de poner en fuga a las tinieblas. Desde siempre. Desde la Gran Montaña. Pero ocurrió la catástrofe. Y los dioses vinieron a habitar entre los hombres. Y la tierra tuvo un nombre, un nuevo nombre: Infierno (pp. 20-21).

Este trozo quizá no exprese el punto de vista indio, pero sí la filosofía del autor en lo que se refiere al deber, a la «responsabilidad» del hombre. Es el momento mismo de la conquista y lo capta como con una cámara fotográfica, logrando una admirable descripción. René Marqués casi no abandona nunca la lucha por la libertad de su pueblo. Así que tanto el padre Luis de España como don Teyo, el ministro «de una religión extraña», se critican, pero el padre Luis (¿por español?) se critica menos que don Teyo, ya que éste se dejó influir por el Norte. Esto último refuerza nuestra opinión de que René Marqués cree que de las tres invasiones, la caribeña, la española y la norteamericana, la última es la que aborrece más.

En «Juan Santos, Santero» sentimos lo mucho que el autor simpatiza con su personaje protagónico. Sin embargo, sorprende que lo haya trazado tan completo en la escena con don Teyo, quien discute acaloradamente el asunto de su ocupación, dejando escapar un insulto hiriente: «Juan Santos, recordando las convulsiones coribánticas, hizo un último esfuerzo y escupió a través de su mella el epíteto final: —¡Epiléptico!» (p. 29). La voz narradora, momentos antes, también nos acerca a este punto con objetivismo: «El duelo de palabras fue consumiéndose en su propio fuego. Los antagonistas, jadeantes, sudorosos, roncos, parecían haber agotado ya tanto los razonamientos teológicos como los insultos personales» (p. 29).

Esta distancia artística se encuentra también en la ambigua caracterización del padre Luis, cuya humanidad se dibuja en la cita siguiente: «¡Qué San Antonio ni que qué ocho cuartos, abuela! Ese mamarracho puede ser cualquier cosa menos un santo.

Luego, a guisa de consuelo, añade, suavizando la voz, tratando de puertorriqueñizar el acento duro de Castilla .... —¡Cómprese uno!» (p. 41). Huelga decir que los defectos tan patentes en estos tres personajes no se van a descubrir en la viejecita, ni se considerará defecto en ella el que su santo trueque su «desesperación en resignación cristiana» (p. 42). Del artista literario puertorriqueño no se espera que censure el carácter de esta jibarita para hacerla una rebelde social. La mansedumbre o docilidad de ella es efectivamente la mayor herramienta que tiene para lograr su propósito, y lo logra sola y a su manera.

«La ira del resucitado» y «El cazador y el soñador», son cuentos cuyos escenarios, anécdotas, circunstancias y representaciones literarias varían de lo que suele escribir René Marqués, pero sin que difieran de los elementos constitutivos que ya analizamos: temática y contenida particular, así como el buscar intencionadamente la exaltación del pueblo puertorriqueño.

Según Lacomba «La ira del resucitado» ofrece un estilo lírico «para dar resonancias estilísticas biblícas» [18].

En «El cazador y el soñador» encontramos el mismo símbolo, la honda, pero «en manos del resucitado se ha convertido en arma de guerra justiciera» [19]. Lo que fue señal de paz es ahora lo opuesto. La cuestión de temas es difícil de tratar aquí. José M. Lacomba también cree que «El cazador y el soñador» trata de «un tema no abordado antes por el autor» [20]. Se refiere, creemos, a la ceremonia de la Natividad. Uno de los niños (Pedro) no tiene nada que darle al recién nacido Rey, pero acaba por obsequiarle su honda homicida. A nuestro parecer las historias bíblicas, el nacimiento y la resurrección de Jesús, han sido transferidas a la isla. Puerto Rico es Belén y por tanto la cuna del Mesías tiene las particularidades boricuas: medio ambiente, situación étnica, el pan indio o casabe. Intuimos el afán del autor por hacer saber al mundo que «Julio, Rafael y Emilio» (p. 60) hacen el papel de Melchor, Gaspar y Baltasar y que

De donde procedían importaba menos: del Norte, el Este o el Oes-

---

[18] *Ibid.*, p. 14.
[19] *Ibid.*
[20] *Ibid.*, p. 11.

te, de Río Abajo, Sabana Grande o Los Picachos, no importaba. Su color y condición, su religión y ciencia tampoco importaban. Eran en aquel instante el Hombre de la Isla, la Humanidad puertorriqueña toda (p. 60).

Para comparar este afán con el que obra en «La ira del resucitado» alertamos al lector sobre la forma en que René Marqués describe al protagonista.

No; no vestía de blanco como la vez primera. Y el aire fresco del amanecer no hizo flotar su túnica. Porque no era túnica su vestido. Llevaba pantalón muy ceñido, de un azul sucio desvaído .... Su tez, que había sido dorada, tenía ahora la palidez de la pulpa del guamá .... Su cabello seguía siendo negro como plumaje de mozambique (p. 64).

La intención artística en estos dos cuentos se logra con «rara sensibilidad» [21], pero podría haber más sutileza y menos insistencia por parte del autor en tratar de convencer de que Puerto Rico existe, que vale. El comentario que sigue expresa bien el problema en cuanto a la caracterización del resucitado:

Marqués parece intentar representarlo como un *hippie* actual, pensando quizás que Jesús así habría sido considerado por sus propios contemporáneos, incluyendo su familia, allá en Judea. Pero aunque el nuevo resucitado podría pertenecer a cualquier nacionalidad y época, el cuento no deja dudas de que éste es un puertorriqueño actual de la montaña: «Su tez, que había sido dorada, tenía ahora la palidez de la pulpa del guamá» [22].

Hay momentos en que quedamos con el deseo de que el autor no nos dijera tanto, que nos dejara «dudas». Quizá su prolijidad se debe a que como René Marqués también es maestro, procura enseñar así a los puertorriqueños su propia identidad; pero esta insistencia, que parece saturar algunos de estos cuentos, resulta demasiado definitoria. En estos dos cuentos, por ejemplo, se puede sacar la impresión de que René Marqués consigue lo opuesto de lo que desea, y por lo mismo su aplicación de historias bíblicas al ámbito isleño parece indicar que Puerto Rico

---

[21] *Ibid.*, p. 12.
[22] *Ibid.*, p. 13.

de por sí no goza de grandes valores intrínsecos o que hace falta revalidarlos, ¿con analógías? Lo constante del clamar de esta voz, la de René Marqués, parece querer reivindicar su concepción del hombre-isla que impregna su narrativa y hasta fija la dirección de sus temas. Parece ser flexible el autor, pero un análisis acucioso muestra que le es difícil variar su temática literaria, y que sólo consigue modificarla en unas cuantas obras.

Lo que apreciamos en estos dos cuentos y lo que realmente parece sincera es la idea de que la bondad genuina, el verdadero amor con toda su renunciación, puede hallarse tanto en personas del Caribe como en cualesquier personas en la tierra.

Hay dos relatos que a nuestro juicio se apartan de la «monotemática» de que hemos hablado, son: «El miedo» y «El cuchillo y la piedra». Ambos se tratan en otra partes de este estudio por contener también elementos ideológicos que tenían que ser analizados con detenimiento. El criterio con que escogimos los seis cuentos de esta parte se apoya en el interés del autor por desarollar la esencia puertorriqueña de sus personajes.

Parte segunda: Símbolos y síntesis

El «uso afortunado del símbolo como recurso de síntesis poética»[23] es componente esencial para René Marqués. En «El bastón», «La sala» y «El niño en el árbol» vemos cómo un bastón una sala y un árbol llegan a ser personajes o a eclipsar a los seres humanos a través de los relatos.

Josefina Guevara Castañeira apunta que el autor se vale de símbolos cuando «el guaraguo agresor»[24] huye del persistente ataque del pitirre. Este es uno de los muchos ejemplos de *La víspera del hombre* que podríamos enumerar. Lo mencionamos porque ocupa un episodio largo en la novela. El bastón y la sala también toman vida independiente. La semejanza que tiene el protagonista de «El bastón» con el de «En la popa hay un cuerpo reclinado» es grande. Los dos sufren por la dominación de

---

[23] RENÉ MARQUÉS, *Cuentos Puertorriqueños de hoy* (Río Piedras: Editorial Cultural, Inc., 1975), p. 113.
[24] JOSEFINA GUEVARA CASTAÑEIRA, *El Mundo*, 18 de julio de 1959, p. 8.

personajes femeninos. El bastón desempeña un papel serio, como el de un personaje cuyo desarrollo es lento y significativo, y al final vemos que este papel es decisivo, ya que el bastón le sirve de arma al hijo que mata a la madre. Una pequeña serie de citas indica el desarrollo :«Curioso que el bastón puertorriqueño estuviese junto a todo eso de importancia europea. Pero así era ... Y el bastón —único sobreviviente de la colección del abuelo materno ...; y alguien lo labró para el abuelo en Lares» (p. 89); «era sólo una reliquia del abuelo que no se usaba para castigo. Siempre inmóvil en el rincón de alguna estancia ... Inmóvil e inerte» (pp. 102-03); «Esta noche, para romper la rutina del ritual diario ... —sin saber el porqué de la ocurrencia— con el bastón, y abriendo la puerta de su sala ... hizo una bufonada imitando el abuelo» (pp. 104-05); Agarró el bastón y de un salto se plantó ante el televisor .... Y descargó el golpe sobre la cabeza ..., pensó confusamente, el bastón del abuelo ... había cumplido su fin» (p. 106). Se confirma así la idea de que el bastón (como el perro) asume el papel de personaje y que como «herencia del abuelo materno, sigue al protagonista como latente Némesis a través de la vida del personaje» [25]. Nos interesa el tema sugerido por el autor cuando nos dice que el bastón era (objeto de coquetería masculina)» (p. 106), porque se necesita estudiar mejor las relaciones que existen entre hombres y mujeres en toda la narrativa del autor.

La sala del cuento del mismo nombre la conceptuamos como símbolo también. Charles Pilditch dice al respecto: «The room seems to take on a strange, unconcerned, monotonous life of its own» [26].

El desarrollo de la sala como personaje es lento y parecido al del bastón, y va denotando el significado del tiempo: «The enemy time has again eradicated memories of past family life» [27]. Conviene trazar en parte este desarrollo. En el epígrafe (de T. S. Eliot), se habla de una sombra, «Falls the Shadow» (p. 149), la cual, creemos, es la «estancia oscura» (p. 149) porque ya «no era

---

[25] José M. Lacomba, p. 17.
[26] Charles Pilditch, *René Marqués. A Study of His fiction* (New York: Plus Ultra Educational Publishers, 1976), p. 46.
[27] *Ibid.*, p. 44.

la sala de la casita alegre» (p. 149); «Y uno lo siente, muy hondo, la inmutabilidad de las cosas y los cambios sutiles de los seres, que se deterioran» (p. 153); «La sala no tenía prisa. El tiempo de la sala era capaz de absorber la eternidad .... La sala, tal como la vio su ausencia, preparaba en las sombras otro día idéntico al de hoy» (p. 158).

La fuerza del existencialismo obra constantemente en los dos cuentos. El último de éstos, «La sala», obtuvo el primer premio del Ateneo Puertorriqueño en 1958. El cuento «La sala de espera», de Eduardo Mallea, tiene un delicado tono nostálgico unido a la desesperación del amor traicionado, mientras que «La sala», de René Marqués se centra (muy naturalmente para el autor) en un problema político. Creemos que no se ha dicho bastante sobre la influencia que tuvieron nuestros autores contemporáneos en René Marqués. Señalamos, por eso, que este cuento de René Marqués se parece en algo al de Mallea, hasta el punto de que el título es semejante. Se recuerda que Eduardo Mallea fue quien introdujo el existencialismo en la literatura de Hispanoamérica. En los dos cuentos en cuestión se lamenta una pérdida.

«El bastón», en cambio, cuya esencia también es la angustia existencial, representa un caso infrecuente en los cuentos puertorriqueños que se apoyan en símbolos casi completamente. Para nuestro autor, sin embargo, no lo es, como hemos podido demostrar con la honda (y la cruz) en «La ira del resucitado» y en «El cazador y el soñador».

«El niño en el árbol» es otro relato que depende de símbolos, el mayor de los cuales es el árbol. En «Ese mosaico fresco sobre aquel mosaico antiguo» ya vimos lo mucho que significa la mansión Giorgetti como símbolo de la cultura colonial con toda su belleza arquitectónica familiar, frente al aerolito destructor oscilando por una civilización materialista que no perdona. Lo mismo pasa aquí con el árbol, algo vivo y hermoso en él, y la madre del niño que no ve las buenas posibilidades del árbol, un quenepo macho (p. 137), muerto ahora por el veneno azul que le echó la mujer y que jamás volvió a vivir, como el hombre, el padre del niño, tampoco volvió jamás. El hombre fue el padre de Michelín, que era alto y poderoso, y así era el quenepo macho «que daba sombra» (p. 134). El lugar que ocupaba el árbol lo ocupa ahora un *bar*. Este relato desborda de símbolos que aclaran los valores tan dispares que habrían de separar a los padres de Michelín. Piri Fernández de Lewis lo resume así: «La antítesis entre el árbol versus la hembra, la integridad versus la banalidad se resuelven trágica e imponentemente. El niño no puede domeñar a la madre, el marido a la esposa, el árbol a la estatua» [28]. Lo insignificante desplaza lo valioso. Eleonor Martín observa que el patio es engrandecido «to accomodate more guests at her cocktail parties» [29]. Pilditch también advierte que el drama *Un niño azul para esa sombra* aclara el significado del cuento: los dos niños son figuras-Cristo. Ya vimos que lo mismo sucede con *Los soles truncos,* cuya base anécdótica fue el cuento «Purificación en la calle del Cristo». «El niño en el árbol» desborda también de otros muchos símbolos, refranes líricos y conjuntos de imágenes. De interés particular para el presente estudio es el símbolo de las estatuas, una «mujer que quedó como estatua, apoyada en el televisor» (p. 133) y «una mujer de lata con una antorcha en la mano» (p. 135). Como se refiere marginalmente al episodio que ocurre en la avenida Ashford, sabemos que es una nota de interés político, típica y hasta fundamental en la narrativa marquesiana. «El niño en el árbol» recibió (por votación unánime) el segundo premio del Ateneo Puerorriqueño en el año de 1957, año en que el cuento «En la popa hay un cuerpo reclinado» se llevó el primer premio. El árbol en cuestión, que simboliza al padre del niño (el elemento masculino), no murió únicamente porque está avanzando el monstruo de una civilización materialista que pudiera venir o no del Norte. El niño Michelín, «vents his anger and frustration first by killing his mother's pet cat, and second by defacing the statue of liberty in the town square, which he associates with his mother» [30] who is «unaware of her son's free association» [31]. La estatua representa a la madre. La crítica general confirma la idea de que el niño no puede luchar solo contra su madre y que «His suicide is still indirectly a form of revenge

---

[28] Piri Fernández de Lewis, *El Mundo,* 16 de febrero de 1957, p. 24.
[29] Eleanor J. Martín, *René Marqués* (Boston: Twayne Publishers, 1979), p. 64.
[30] *Ibid.*
[31] *Ibid.*

on the mother» [32], quien «destroyed his world by killing the tree or father image» [33]. Lo del sistema matriacal norteamericano lo comentamos antes (cap. III). Se ve que la Estatua de la Libertad (¿La madre del niño?) se presta para tal interpretación política.

Es aquí donde deseamos llamar la atención acerca de la forma en que este cuento penetra en un tema profundo que trasciende la intención nacionalizante, a saber, el conflicto entre hombre y mujer. En el drama *Un niño azul para esa sombra,* se advierte que la madre adquiere una imagen más positiva y que la sociedad tiene la culpa de ser opresiva con el revolucionario y su familia («La sala») [34].

La «síntesis poética» se hace posible en la narrativa de conjunto por el habilísimo manejo de símbolos cuya función es, naturalmente, contar de forma breve, aunque no siempre con la misma precisión, lo que tomaría mucho tiempo relatar sin los símbolos, los cuales, además, hacen participar imaginativamente al lector en la construcción del mundo ficticio de la literatura. La síntesis depende también de la fuerza creadora del lector, quien salva al enorme mar de palabras que se necesitarían para contar el mismo relato sin «el uso afortunado del símbolo». Lo privativo de René Marqués al respecto es que sus símbolos son muchas veces creaciones propias, inspiradas en lugares, tiempos, lenguaje y cultura puertorriqueños. A la vez tienen de particular, si no de privativo, el reaparecer en varias de sus obras narrativas y dramáticas.

Parte tercera: La nueva trayectoria, proyecciones universales

Cinco años después de que se publicó *Otro día nuestro* (1955), René Marqués da a conocer *En una ciudad llamada San Juan* (1960). Esta última colección contiene siete cuentos en los cuales trata los temas siguientes: «The Americanization of Puerto Rico; the problem of urbanization ..., the boredom of the ma-

---

[32] CHARLES PILDITCH, p. 42.
[33] *Ibid.*
[34] ELEANOR J. MARTÍN, p. 65. Aquí hemos hecho una perífrasis del inglés.

terialistic bourgeoisie ..., the increasingly matriarchal structure of Puerto Rico ..., the nationalist movement ..., and the
inhibition of liberty» [35]. Con respecto a esta obra (1960) la crítica
norteamericana Eleanor J. Martín anota, «In this collection, while
engaged in social conflicts, Marqués' characters also evince universal conflicts» [36]. Otra colección, *Inmersos en el silencio,* que
se publicó diez y seis años más tarde (1976), apunta definitivamente hacia la nueva trayectoria de René Marqués. En este
volumen vemos claramente los elementos temáticos y literarios
universales con que trabajaba el autor. Se orientaba hacia las
mismas tendencias de otros escritores hispanoamericanos muy
conocidos. Nos referimos a Eduardo Mallea, Jorge Luis Borges,
Octavio Paz, Gabriel García Márquez y Carlos Fuentes, entre
otros.

Los cuentos «El delator», «El cuchillo y la piedra», «¿Amigo,
no eres tú yo mismo?» y «Final de un sueño» son concepciones
seminales del hombre universal. A este respecto concordamos
con las siguientes observaciones:

> Symbolism is no longer weakened by explanation .... In several
> short stories, Marqués departs from the traditional narrative and
> turns to prose that is free flowing and is developed within the inner
> recesses of the character's mind .... Marqués' poetic vein now
> becomes so developed that one short story —«The child in the tree'—
> becomes an entire poem in prose. It would seem that Marqués pre-
> fers to appeal to all of mankind's faculties —intelectual and sensory—
> so as to effect the author's political and humanistic message [37].

Esta cita se refiere a la colección *En una ciudad llamada San
Juan* y no a *Inmersos en el silencio,* pero creemos que se aplica
aún más a la última.

El personaje innombrado de «El disparo» ha sido identificado
ya más de una vez como Sirhan Bishara Sirhan [38]. lo que revela
que el episodio literario está inspirado en un hecho político del
alcance del asesinato de Robert F. Kennedy. En los relatos «La

---

[35] *Ibid.,* p. 68.
[36] *Ibid.*
[37] *Ibid.,* pp. 68-69.
[38] Tanto José M. Lacomba (p. 22), como Eleanor J. Martín (p. 138),
aseguran que se trata de Sirhan Bishara Sirhan.

hora del dragón» y «En la popa hay un cuerpo reclinado» René Marqués se lanza también hacia problemas universales. En «El disparo», aunque el nacionalismo no es puertorriqueño, se expone la visión de un ser humano cuyo amor al suelo patrio y a su familia, así como su sentido de la justicia, fueron las razones que lo llevaron a quitarle la vida a otro hombre. El parecido que tiene con «Deutches Requiem», de Borges radica en la profundización en la psicología de su personaje, la forma de razonar de éste y el fluir rítimico de los pensamientos sobre hechos pasados.

Conviene acentuar aquí que al cuento «El disparo» se le ha dado un tratamiento que carece de tono regionalista. Los temas de «La hora...», «En la popa...) y «Dos vueltas...» versan sobre asuntos universales, pero no dejan de presentar las circunstancias de lugar y tiempo regionales y, como hemos indicado, se habla de «una colonia», «la principal» y «marinos color de nieve orinando», referencias todas evidentemente patrióticas. El epígrafe de «El disparo»: *Este mundo absurdo que no sabe adónde va... Canción popular* (p. 159), capta bien la actitud del joven personaje (Sirhan) y representa para el autor una perspectiva más amplia y no tan personal como la que denotan sus obras más tempranas. Este punto de vista le permite escribir «El disparo» con el mismo calor humano, pero sin llamar directamente la atención sobre la isla de Puerto Rico. Por ello, y por las otras razones aquí expuestas, este relato refleja menos compromiso y se sitúa en la nueva trayectoria de Marqués.

El gramófono automático (p. 161), sin embargo, al igual que las escenas retrospectivas y los diálogos recordados de tono tan marquesiano, puesto que se discute sobre la libertad, siguen vigentes como ejes del sistema literario selectivo. El autor insiste en que la vida del acusado llega a ser objeto de diversión. De las entrevistas que tuvieron los médicos con el joven (Sirhan), leemos: «y el viaje a la infancia complació mucho a los psiquiatras» (p. 163). La diversión de que se trata parece depender de que algunos que presumen de expertos se ocupan de asuntos serios, pero lo hacen con cabal ignorancia, como sucede con Miss Bunning, por ejemplo, que está en la isla donde sufre debido a su falta de entendimiento del problema del coloniaje y «El juramento» manifiesta hasta el máximo esta ignorancia.

El cuento, un autorretrato (p. 168), «¿Amigo, no eres tú yo mismo?» tiene parecido con las ficciones de Jorge Luis Borges y Octavio Paz. El parecido está en la creación de fantasías artísticamente desarrolladas como las que hallamos en «El ramo azul» y «Encuentro» de Octavio Paz y en «Borges y yo». Los tres autores destacan el interés en sí mismos y explotan ese interés en sus cuentos. Leemos,

> Porque ahora veo tu corazón. Lo de 'veo' es sólo un decir, claro está. Jamás te he visto el corazón amigo. (Intuirlo, sí; pero verlo, jamás.) .... No es de ciencia que quiero hablarte hoy» (p. 170). Y luego, expresa los sentimientos que tiene por su isla: «los sanisidros, y los carrizales, y los manglares ..., y los tamarindos, y los guamás de pulpa tan blanca ..., y los ausubos ya perdidos (pp. 170-171).

Hay momentos también en los que el interés del autor por la introspección nos recuerda otra vez a Eduardo Mallea («Sala de espera») a causa de su tono personal tan lírico, tan sentimental.

En «El delator» y en «El cuchillo y la piedra» se evidencia el interés del autor por penetrar en las mentes torcidas, en las acciones odiosas y violentas que responden a los complejos psicóticos. El delator actúa de acuerdo con un odio propio y el personaje de «El cuchillo y la piedra» se mueve por necesidades interiores muy complicadas, las cuales se complican más porque lo alucinan. En «El delator» se examina un complejo relacionado con el problema del coloniaje. «El cuchillo y la piedra», que jamás tuvo buenas reseñas, que nosotros sepamos[39], se aproxima, en nuestra opinión, a los mejores relatos de la literatura puertorriqueña que pretenden ser estudios psicológicos. El que no sea muy inteligible, por utilizar a un personaje de sociedad muy marginal, no quiere decir que valga poco. Es aquí otra vez donde el epígrafe alumbra el relato y resume el estado de conciencia, o falta de conciencia, del repugnante personaje central. El epígrafe (de D. H. Lawence) dice, *Not I, not I, but the wind that blows through me!* (p. 171).

---

[39] Charles Pilditch le llama «perhaps one of the least effective stories in this collection». Véase CHARLES PILDITCH, p. 47.

Son pocas las veces que encontramos personajes más atormen-
tados y autocastigados que éste que «nació con los brazos de
niño [y] tendrá huellas de voces que nadie conoció. *Todo él cre-
ce. Pero sus brazos no*» (p. 171). Y él oye, «*Hasta la hormiga es
útil. Pero tú...*» (p. 171). Quizá su inseguridad llega a ser tan
grande que le obliga a deshacerse de lo que más desea, de Marcela. Así no tendrá que preocuparse más de que otro se la quite
algún día. Y el demonio que pide el sacrificio, ¿no será la parte
de él que, separada por una necesidad de inocencia, podrá ser
después la que le oirá gritar «¡Asesino!» (p. 181). La tipografía
nos indica que es el personaje, su parte más integrada, y no
una voz de su fantasía, quien grita. De ahí el significado del epígrafe. El personaje no se ha responsabilizado: *Not I, not I...*

Este relato se semeja a «Dos vueltas de llave...» en el tono
lírico, rítmico y musical. Es esta combinación de método analítico, frío a veces, con un lirismo musical, lo que a nosotros nos
parece indicativo de una nueva trayectoria en René Marqués. Al
unirse lo analítico y lírico con una temática de alcance internacional, como la que aborda «El disparo» y con la fantasía ju-
guetona que hallamos en «¿Amigo, no eres tú yo mismo?», todo
va convirtiéndose en una literatura de tipo menos existencialista. El tono lírico en René Marqués, aunque metodológicamente
analítico, nos recuerda también el de Luis Romero (1960) en su
cuento «La carta» [40] y a otros escritores de España de la misma
generación de René Marqués.

En el relato «Final de un sueño», René Marqués nos mete en
un mundo ficticio muy similar al que encontramos en «El sur»,
de Borges. ¿Qué es la realidad y qué la irrealidad? La anécdota
es realmente buena y se lee con gusto y con tensión. También
hay partes de la narración que nos recuerdan la novela *La
muerte de Artemio Cruz*, de Carlos Fuentes (1962) [41]. La cita que

---

[40] Véase «La carta», cuento de Luis Romero, antologizado en HENRY
HARE CARTER, *Cuentos de España hoy* (New York: Holt, Rinehart and
Winston, Inc., 1974), pp. 10-13.
[41] Véase la antología de FERNANDO ALEGRÍA, *Novelistas contemporáneos
hispanoamericanos* (Boston: D. C. Heath, 1964), p. 116. En este fragmento de *La muerte de Artemio Cruz*, Carlos Fuentes presenta al personaje en un cuadro de detalles de los menos interesantes, para captar
la sensación de tedio.

sigue muestra los logros artísticos literarios de que es capaz René Marqués.

> Sacudió la cabeza varias veces para convencerse de que estaba despierto. Se echó agua de Florida en el cuello y la frente. Luego se levantó, se puso la bata de baño, orinó, y fue al comedor, donde se preparó un ron con hielo y limón. Se fue luego a la sala, a tomarse la bebida y a ... (p. 139).

Descripciones como ésta forman una línea estilística estructural en todo el relato para detener el tiempo, al introducir el tedio y el aburrimiento y al trazar unos tipos abúlicos o ignorantes.

El puertorriqueño rubio que vivió una vez en Chicago, así como la florista y El «maitre» (p. 137) representan para el protagonista ese Puerto Rico artificial, falso, carente de verdadera bondad, porque no saben respetar a las personas. El autor los desprecia a todos por igual. No son, sin embargo, como los tipos que conocemos en «El miedo» y «La muerte».

Sigue patente aquí el interés del autor por conservar lo puertorriqueño, y hay además algunos recursos típicos suyos, como la voz de un cantante cuyas palabras se acoplan perfectamente con el tema y la situación en que se halla el protagonista. Todo se introduce en el momento oportuno para completar la actividad en curso. Lo particular del relato es que tiende a una trayectoria menos existencialista y más fantástica, cuyas proyecciones son notablemente universales en su conjunto, indicios seguros de una narrativa en desarrollo.

VI. CONCLUSIÓN: VALORACIÓN DE LOS APORTES TRAS-CENDENTES Y PRIVATIVOS DE RENÉ MARQUÉS A LA NA-RRATIVA HISPANOAMERICANA

Tanto las ideas como la forma literaria de la narrativa de René Marqués responden a una profunda sensibilidad personal por lo puertorirqueño, y la estructura ideológica de esa narrativa se motiva en gran parte en las ideas enunciadas en los epígrafes de las obras. La representación literaria que da forma artística a esas ideas se orienta por un sistema selectivo bien definido. Este proceder estilístico se ha llamado aquí «concepción epígrafe-narración». De las veinte y ocho obras analizadas en este estudio, veinticuatro tienen epígrafes. Además, el libro *En una ciudad llamada San Juan* tiene un epígrafe mayor que enuncia el tono de los quince cuentos incluidos en él. La concepción epígrafe-narración es elemento constitutivo e integrante de la narrativa de Marqués.

Las descripciones del autor muestran su preferencia por los paisajes y ámbitos isleños y desbordan de vocablos taínos y se concentran en características humanas típicas o privativamente puertorriqueñas. Buena parte del léxico de tales descripciones es reconociblemente boricua: coquí, ausubos, ron, adoquines, guamá, glacis, batey, mangle, pitirre, Yuquiyú, guaraguao y el ¡ay, bendito! y el color caoba o canela y el ¡qué guame!

Las superaciones en la voz narradora muestran que René Marqués goza de un hábil manejo del punto de vista al introducir frases, onomatopeyas, diálogos, diálogos recordados y la letra de canciones de gramófonos automáticos, con lo cual logra un perspectivismo amplio e integrador. Este perspectivismo seduce a los lectores a causa de los finos encabalgamientos, escenas retrospectivas y el fluir de la conciencia que entrelazan las realidades exterior e interior. Esto último nos fascina a consecuencia de los entendimientos que logramos en observar la forma en que los personajes se nos revelan.

René Marqués conoce bien las condiciones que se han producido a causa de las dos invasiones en su isla. Sabe sobre todo cómo sufre el pueblo con respecto a su identidad légitima y él se identifica con la soledad y la pequeñez de su isla. Jamás simpatiza con la presencia del «Norte» en Puerto Rico.

En cuanto a la formación literaria del autor se ve que el existencialismo influye mucho en su narrativa y que la tendencia ideológica de las primeras doce obras estudiadas aquí se presenta en cuatro categorías, categorías que hemos nombrado y definido según nuestro método, las cuales apuntan hacia los límites tipológicos más reconocibles de su narrativa total. Las categorías son: las obras de tipo existencialista positivo, ambivalente, negativo y de protesta político-social.

La gran preocupación del autor es cómo definir los valores inherentes al pueblo puertorriqueño y cómo atraer la atención sobre la problemática de la libertad, la independencia y la cultura. Después de seguir los pasos de tantos personajes y de conocerlos por dentro vemos cuáles son sus frustraciones, sueños, debilidades y aspiraciones, y nos parece patente que el tono de René Marqués para con sus personajes es en esencia un tono serio que deja saber la angustia que él mismo lleva en el corazón por la esterilidad de su pueblo. Esta esterilidad, en cambio, no se ha visto en varios personajes. Ni tampoco es una narrativa sin asomos de esperanzas y alegría y una que otra expresión de humor.

Es un escritor intelectual así como intuitivo, con visión poética que muestra preferencia por lo psicológico y usa símbolos arraigados mayormente, aunque no exclusivamente, en la naturaleza caribeña y en el opuesto avance de la sociedad mecanizada. Esta sociedad se halla en una situación difícil debido al choque constante de culturas diferentes.

René Marqués incorpora también el sentido de la elegancia literaria, que a veces se manifiesta en una actitud elitista, conocimientos lingüísticos, muchos vocablos cultos, destreza estilística, aptitud para manejar el hilo anecdótico, sea lineal o circular, y su ingenio dramático. Varias de sus narraciones más parecen teatro. Sus obras reflejan generalmente una tensión intensa en los personajes centrales. Algunas muestran optimismo, su desenlace es positivo; otras conducen a la duda, tipo ambivalente; y por último las hay francamente pesimistas, son de tipo negativo y nos acercan a un pensamiento sombrío. Nuestra categorización define las líneas tipológicas mayores, que no convergen en un punto positivo. Fernando Alegría ha resumido nuestra opinión acerca del genio literario de René Marqués:

> Que en Puerto Rico se llegue a crear un estilo literario como el de René Marqués, hecho de castiza calidad lírica, de profundidad psicológica y honrado y valiente enojo ante el drama de su patria es algo que la crítica hispana debe celebrar y exaltar como ejemplo para los escritores jóvenes del Caribe y de la América Central [1].

Esta opinión parece revelar sorpresa, lo cual nos hace pensar que de Puerto Rico se ha esperado poco y que todavía hoy en muchas partes del mundo hispano se ignora su excelente producción literaria. Estamos igualmente convencidos de que una de las razones por las cuales quiso escribir René Marqués fue para desvanecer la sorpresa. Siempre tuvo la idea de que los puertorriqueños eran un pueblo culto y escribió varios cuentos que nos dejan esa impresión. Algunos relatos se dirigen precisamente a ese objetivo —«La Crucifixión de Miss Bunning» es un ejemplo excelente y La mirada es otro. A René Marqués le interesa comparar a los pueblos puertorriqueño y norteamericano, para hacerles ver a los lectores que éste es culturalmente inferior a aquél. «En una ciudad llamada San Juan» «Otro día nuestro» son cuentos en que la censura forma parte de su intención al escribir. Notamos que los cuentos que no se ocupan primordialmente de esta comparación resultan exquisitos y completos en el sentido intelectual y poético, porque realzan la gran cultura que hay en él, René Marqués, puertorriqueño. Los cuentos «Dos vueltas de llave

---

[1] FERNANDO ALEGRÍA, *Novelistas contemporáneos hispanoamericanos* (Boston: D. C. Heath, 1964), p. 156.

y un arcángel», «Purificación en la calle del Cristo», y «Ese mosaico fresco sobre aquel mosaico viejo» destacan esa «castiza calidad lírica» apuntada por Alegría. Están repletos de dramatismo y muestran el dominio del autor de hechos históricos, imágenes y símbolos pertenecientes a la cultura isleña.

La frase «honrado y valiente enojo» califica bien la actitud franca con la cual se acerca a sus temas, los cuales consisten principalmente en la preocupación del autor por conservar los valores culturales auténticos y por plantear los problemas político-sociales que sufre su pueblo. Su visión como escritor está impulsada por un gran poder intelectual- intuitivo. Sus cuentos «La hora del dragón» y «En la popa hay un cuerpo reclinado» rebasan la percepción corriente y convencional y su poderío radica en que destacan la fuerza del pasado, de la historia y de las costumbres en la vida de los personajes centrales y secundarios.

René Marqués se especializa en estilizar sus obras, valiéndose de un procedimiento ejemplar que hemos llamado aquí realismo figurado selectivo, el cual tiene de particular que poetiza los temas que suelen ser tratados con una actitud realista morbosa, y obscena. Por ejemplo, el tema de la prostitución lo trata muy subjetivamente e intuye la vida interior de la niña degradada. A esta estilización contribuye el evadir los términos vulgares y usuales, menos en *La Mirada*. El relato «Dos vueltas de llave y un arcángel» ejemplifica la poetización a la que aludimos. «La chiringa azul» es otro relato en el cual observamos el realismo figurado selectivo, una plasmación alegórica de la idea del epígrafe, idea melancólica y fatalista que concierta bien con la narrativa de protesta político-social marquesiana. «Ese mosaico fresco sobre aquel mosaico viejo» representa bien el proceder estético porque en este cuento el espíritu conservacionista, tan notable en la concepción literaria marquesiana, se poetiza tanto lírica como dramáticamente. En «Dos vueltas de llave y un arcángel» presenciamos la fuerza genial que eleva el realismo a un plano figurado excepcional. En este estilo el énfasis explícito es puesto sobre el entendimiento, o sea, sobre la personalidad del narrador. También en *La víspera del hombre* está más que patente que los comentarios de la voz narradora actúan enfáticamente «sobre el entendimiento, o sea sobre la personalidad» de René Marqués.

En los dos cuentos menos nacionalizantes, «La hora...» y «En la popa...», apreciamos un Puerto Rico contemporáneo más cosmopolita, pero hay algunos indicios de la preocupación por la identidad de su pueblo y el afecto por lo puertorriqueño, que siempre llevan al autor a tocar el tema de la independencia aunque sea sesgadamente

Hay elementos universales en algunos personajes puertorriqueños como, por ejemplo, el viejo de «Otro día nuestro». La caracterización que el autor hace de este protagonista ofrece varias identidades, pero señaladamente se retrata a un anciano idealista (Pedro Albizu Campos) cuyas raíces le dan un carácter modelo universal. Así René Marqués parte de lo particular para trascender límites de lugar y tiempo. En «Isla en Manhattan» Juana obra con valor individual sin hacerle caso a Nico. Esta capacidad humana podría considerarse más universal que puertorriqueña. La preocupación con la segunda invasión, sin embargo, se presenta como una obsesión en la narrativa marquesiana y, por lo mismo, concluimos que sus obras están orientadas en gran parte por ella.

La mirada, novela que se publicó en 1976, merece un comentario particular. Para nosotros no es la culminación de su arte literario, y el que quizá sea «la más universal» de sus obras no significa que sea la mejor. Constituye el inicio del estilo vulgar; carece del realismo figurado selecto o elitista usual, de la noción lírica, del moviimento embriagante de los diálogos recordados, de la fuerza narradora cautivante, del espontáneo fluir de las ideas, del penetrante subjetivismo, y de la estampa misteriosa del autor, que suele imponerse por la asociación libre de ideas que cautiva por su fuerza unificadora en lo que atañe al hilo novelesco. El sentido dramático se plasma con menos delicadeza que el que encontramos en «Purificación en la calle del Cristo» aunque se semeja en algo a los dramas de Federico García Lorca, como *La casa de Bernarda Alba,* por la presencia de la fuerza primitiva de la pasión cohibida. Pero en «Purificación...» esa fuerza es más tenue y apagada, y carece del dramatismo fantástico suave orientado por los valores culturales positivos a que están comprometidos varios de los personajes en «Ese mosaico fresco sobre aquel mosaico viejo». Asimismo carece de la compleja

profundidad sicológica que se enuncia y se cumple en la concepción
epígrafe-narración en «Dos vueltas de llave y un arcángel», pero
es más emotivo. Por otra parte en *La mirada* la trama, los diálogos, los episodios, el paso rápido de las escenas, la exhibición
de los símbolos, el zig-zag anecdótico, la estampa indiscutible
del autor en la crítica de la obra teatral que se presenta, la
desorientación del personaje central (pese que tiene grandes conocimientos), el curso fatal de algunos caracteres, son signos
todos del estilo de René Marqués. El antiamericanismo y el pre-
juicio racial (como tema mayor), la crueldad entre los seres
humanos, el crimen, el abuso sexual, las drogas, las obscenida-
des y la pornografía han tomado importancia aquí, aunque los
primeros seis de estos elementos ya se habían establecido como
esenciales en René Marqués. La cualidad universal de *La mirada*
sólo es temática. La realización literaria, en cambio, tiende a ser
del tipo en boga con la franqueza muy explícita que nosotros vemos
como un ejercicio para la escuela realista vulgar y que sólo explota
en parte el genio intelectual-intuitivo del autor. La terminología obscena de este libro no es lo característico en René Marqués, como
tampoco lo son las escenas pornográficas. En cambio no se ex-
ceptúa *La mirada* del interés patriótico del autor ni del problema
de la ambivalente identidad de los puertorriqueños.

La víspera del hombre nos brinda la misma intensidad patriótica que otras muchas obras suyas, pero su mayor mérito tiene
que ser el desenlace positivo, porque se relaciona con el destino del pueblo boricua. Pirulo, el personaje central, entra penosamente al reino moral y sufre mucho de la envidia, y creemos que
los lectores hispanos podrán ver en esto la influencia de *Abel Sánchez*. La crítica registra varios comentarios sobre ciertos aspectos
unamunianos en René Marqués.

Otros nombres señeros que nosotros asociamos con René Marqués son: Eduardo Mallea, Carlos Fuentes, Octavio Paz, Borges, Pío Baroja y Luis Romero. Hemos insistido en el papel que
tienen los epígrafes de muchos autores, entre ellos Erich Heller,
Buda, Gabriela Mistral, Delmore Schwartz, Pablo Neruda, San
Juan de la Cruz, T. S. Eliot, José de Diego y Eugene O'Neill. Se
debe investigar la relación e influencia que existe entre los epígrafes en su contexto original y el uso que hace de ellos el autor. Los

autores acabados de enumerar son del ámbito literario internacional, lo cual destaca la gran cultura de René Marqués.

El éxito del autor como narador depende también de su pericia en emplear el recurso *in medias res* y en referir las anécdotas con una «estratégica disposición del material». El aspecto que más fascina en estos recursos es el sistema que alterna la ocultación y revelación de los datos relacionados con los personajes.

Otros recursos en René Marqués son «el alto relieve histórico-cultural» y «el bajo relieve histórico-cultural». Estos tienen de particular el colocar en primer plano o en el fondo (según la necesidad artística) la información referente al paisaje, o sea al medio ambiente. La creación de ambientes y de atmósferas depende de estos recursos. «Otro día nuestro», «La muerte» y «El miedo» son cuentos que muestran bien esta técnica, la cual nos entera de las circunstancias ambientales, y éstas a su vez influyen en mayor o menor grado en la conducta de los personajes.

El pueblo de Lares figura preeminentemente en la narrativa marquesiana. Es para el autor el síntoma de un mal y el símbolo de un bien para su pueblo. Tenemos la impresión de que con este nombre, Lares, René Marqués quiere dar repetidamente el grito de independencia. Juana en «Isla en Manhattan», como el personaje de «El juramento» y hasta Pirulo en *La víspera del hombre,* acuden al nombre (Lares) o lo recuerdan con una satisfacción perfecta y se diría que la sensibilidad del autor por lo puertorriqueño encuentra su máxima expresión en esta sola palabra, Lares. Por otra parte, toda la indignación que siente René Marqués hacia la segunda invasión gira en torno a lo que sucede entre los niños en «El juramento» y «La víspera...» y la principal, que también se menciona en «En la popa hay un cuerpo reclinado» y es un personaje odiado y por eso es siempre lo opuesto a Lares.

El patriotismo es muy notable en el autor y el espíritu independentista había de encontrar su punto cumbre en la frase «Eres el hombre» (p. 202) del cuento «En una ciudad llamada San Juan», porque parece sugerirnos la idea de que Dios, que en este relato se ha hecho protestante, incita al peregrino a la violencia cumpliendo así la máxima ironía.

Hemos visto en René Marqués dos debilidades como narrador. Una es la falta de correspondencia o adecuación entre lo que dicen los personajes y lo que son. En Pirulo, por ejemplo, hay momentos en que habla como un hombre, mucho más culto y más viejo de lo que es. Su dominio del lenguaje es constante. Esto se debe a que René Marqués emplea una técnica de narrar indirecta, difícil de manejar. Asume el punto de mira subjetivista autobiográfico o personalizado.

La otra debilidad, que para algunos críticos quizá sea menor, son los elementos que forman parte de su sistema selectivo literario usados para la creación de ambientes: el gramófono, los bombillos, las hileras simétricas de botellas, los mostradores y otros más. Estos vienen a caracterizar sus descripciones y a integrar los contornos de su estampa. Para nosotros no constituyen un defecto de por sí, aunque se repiten mucho, por lo que llegan a limitar en parte sus ideas y presentación.

Quedan por analizar en la obra de Marqués el conflicto hombre-mujer, el aparente problema de los personajes (dispersos) que aparecen en más de un relato, el anacronismo del «fotuto» frente al uso del «guamo» *(La mirada),* la significación e importancia de las palabras (canciones) que se oyen por el gramófono automático, la orientación tan obvia del autor por el sentido del oído, la influencia en él de *El proceso* de Franz Kafka, la correspondencia entre los dramas que se basan en relatos, el problema del matriarcado que hemos comentado. Entre otros temas de gran interés está el del resultado nacionalista que produce el tratamiento marquesiano del motivo precolombino.

Para situar a René Marqués entre sus coterráneos, estimamos que cabe en la «promoción del cuarenta», y recordamos que durante su estadía en Europa «amplía mucho sus vastas lecturas» [2] las cuales figuran en la concepción epígrafe-narración que explicamos en este estudio, y que con aquella figura hidalga que se describe en «Otro día nuestro» comunican el sentido agradable que irradia a veces por lo español y por lo europeo en René Marqués. Lo situamos por época (que no por tipo) entre escritores boricuas

---

[2] Francisco Manrique Cabrera, *Historia de la literatura puertorriqueña* (Río Piedras: Editorial Cultural, Inc., 1975), p. 325.

bien conocidos, como Abelardo Díaz Alfaro, José Luis González, Pedro Juan Soto y Edwin Figueroa. Estos hacen que «el espacio de Puerto Rico se ilumine en el mapa de América con un matiz especial» [3].

Un aspecto notable de la cualidad lírica de su prosa son las onomatopeyas. Marqués se orienta hacia un lenguaje sintético que goza de sonidos raros que llegan a tener papeles decisivos en la estructuración de las anécdotas. «Dos vueltas...», «En la popa...» y «En una ciudad...» son cuentos en que tales onomatopeyas están utilizadas con notable acierto. Domina también la asociación libre de las ideas en la estructuración de sus relatos. «La hora...» muestra este dominio.

El aporte particular de René Marqués sólo se valora en parte aquí y si será grande o no para el ámbito general hispanoamericano queda por verse. A nosotros nos parece que su insistencia en apelar al sentido auditivo lo vincula con los poetas primitivos, lo cual en sí quizá asegure en parte su permanencia.

Los aportes más significativos de René Marqués que irán iluminando las letras hispanoamericanas son: la estructuración de los relatos sobre las ideas de los epígrafes, una profunda identificación personal con la cultura puertorriqueña, su capacidad de narrar adoptando el punto de vista de los personajes, una honda penetración en la sicología de estos personajes, la condensación de las crisis morales, el tema y lenguaje precolombinos como recursos nacionalizantes, la estratégica disposición del material narrado, los comienzos *in medias res,* la explotación de símbolos para la síntesis poética, el lirismo, el aire juguetón, el realismo figurado (selecto), la preferencia por lo elegante, el dominio, quizá insuperable, de los diálogos recordados que se insertan en otros inmediatos, la concepción perfecta en saber cuándo introducir las escenas retrospectivas, el encabalgamiento propio de las canciones de los gramófonos automáticos que tercian oportunamente, el afán de conservar intacto al pueblo boricua como nación, la facilidad para establecer ambientes y darles vida al estilo costumbrista, la atención artística constante (puesta al servicio independentista), la creación de personajes acomplejados, el uso

---

[3] José Emilio González, *El Mundo,* 19 de Oct. de 1955, p. 20.

de conocimientos históricos interpretados por su visión poética intuitivo-intelectual, la preocupación casi continua por la identidad nacional puertorriqueña y la independencia de Puerto Rico.

En René Marqués estamos ante un núcleo de ideas afines a su intención de promover la libertad y aclarar los valores culturales auténticos de los puertorriqueños. Los lectores de esta narrativa echarán de ver comparaciones entre las culturas puertorriqueña y norteamericana. Al autor le interesa mostrar su gran cultura individual, como medio de revelar que Puerto Rico cuenta con un fondo espiritual y cultural positivo y grande.

En diciembre del año mil novecientos cincuenta y ocho René Marqués recibió un honor especial; fue el primer escritor que recibió cuatro premios del Ateneo Puertorriqueño en las categorías de novela, cuento, teatro y ensayo. Sigue siendo altamente estimado por sus compatriotas, como escritor cabal. Falleció prematuramente, pero por sus dotes de narrador y por su interés en el desarrollo cultural de su país, René Marqués ocupará un lugar de alto prestigio entre los valores de la literatura hispanoamericana de hoy y mañana.

BIBLIOGRAFíA

ALEGRÍA, FERNANDO. *Autores contemporáneos hispanoamericanos.* Boston: D. C. Heath, 1964.

ANDERSON IMBERT, ENRIQUE. *Historia de la literatura hispanoamericana.* México City: Fondo de Cultura Económica, 1961.

ANDREU IGLESIAS, CÉSAR. «El hombre en la carreta». *Artes y Letras,* San Juan, P. R., enero, 1954, Año II, Núm. 7, p. 16.

APONTE, SAMUEL. «Cuentos Puertorriqueños de hoy». *La Hora,* San Juan, P. R., 29 de marzo de 1972, Año II, Núm. 31, p. 19.

BABÍN, MARÍA TERESA. *Panorama de la cultura puertorriqueña.* New York: Las Americas Publishing Co., 1958.

— *Borinquen: An Anthology of Puerto Rican Literature.* New York: Vintage Books, 1974.

BAROJA, PÍO. Antologizado en Gustave W. Andrian, *Modern Spanish Prose: An Introductory Reader with a Selection of Poetry,* 2.ª ed. London: The Macmillan Company, 1969.

BENET, JUAN. «La inspiración y el estilo». *Revista de Occidente,* Madrid, 1966, pp. 33-53.

BRASHI, WILFREDO. «Galería literaria: René Marqués (Entrevista)». *El Mundo,* San Juan, P. R., 25 de agosto, 1956, Año XXXVIII, Núm. 14023, p. 21.

CARBONERA, MERCEDES CABELLO DE. Citada en J. Durán-Cerdá, «El cuento chileno contemporáneo». *Studies in Short Fiction,* VIII, Núm. 1, Winter, 1971, p. 45.

CASTRO, AMÉRICO. *Iberoamérica,* 4th Ed. New York: Holt Rinehart and Winston, 1971.

DELLEPIANE, ÁNGELA B. «Leyendo un cuento con claves de René Marqués». *Sin Nombre,* San Juan, P. R., enero-marzo, 1972, Año II, Núm. 3, pp. 24-30.

DÍAZ, QUIÑONES ARCADIO. «El arte del cuento en René Marqués». En *El cuento puertorriqueño en el siglo xx,* ed. Facultad de Humanidades, pp. 75-105. San Juan: Universidad de Puerto Rico, 1963.

DÍEZ DE ANDINO, JUAN. «Impresiones de un libro: otro día nuestro». *Mundial,* San Juan, P. R., Oct., 1955, Año VIII, Núm. 33, p. 15.

Espinosa, Victoria. «El teatro de René Marqués y la escenificación de su obra: Los soles truncos». Tesis Doctoral, México, Universidad Nacional Autónoma de México, 1969.

Falcón, Rafael. «La emigración puertorriqueñña a Nueva York en los cuentos de José Luis González, Pedro Juan Soto y José Luis Vivas Maldonado». Diss., Universidad de Iowa, 1981.

Fernández de Lewis, Piri. «Laudo del jurado, los cuentos premiados por el ateno». El Mundo, San Juan, P. R., 16 de febrero, 1957, p. 24.

Figueroa, Edwin. «Laudo del certamen de cuentos». El Mundo, San Juan, P. R., 17 de enero de 1959, Año XI, Núm. 14765, p. 23.

Fletcher, Angus. Allegory: The Theory of a Symbolic Mode. Ithaca, New York: Cornell University Press, 1964.

Flores, Ángel, et al. Breve historia de la literatura española. New York: Holt, Rinehart and Winston, 1966.

Flores, Ronald C. «The Spector of Assimilation: The Evaluation of the Theme of Nationalism in the Theatre of René Marqués». Diss., Penn State University, 1974.

Gallego, Laura. «Laudo certamen de cuentos». El Mundo, San Juan, P. R., 26 de marzo de 1960, Año XLII, Núm. 15134, p. 18.

García-Lorca, Federico. Obras completas. Madrid: Aguilar, 1957.

García-Viño, Manuel. Papeles sobre la nueva novela española. Pamplona, España: Colección Cultural de Bolsillo, 1975.

Gómez-Gil, Orlando. Historia crítica de la literatura hispanoamericana. New York: Holt, Rinehart and Winston, 1968, pp. 772, 728.

Gómez-Lance, Betty Rita. «Los cuentos de René Marqués», Revista Bimestral de la Universidad de El Salvador, San Salvador, marzo-abril, 1965, Vol. XC, Núm. 2, pp. 89-108.

González, José Emilio. «Otro día nuestro: Los cuentos de René Marqués». El Mundo, San Juan, P. R., 29 de Oct. de 1955, Año XXXVII, Núm. 13766, p. 20.

— «La víspera del hombre». El Mundo, San Juan P. R., 26 de Dic. de 1959, Año XLI, Núm. 15057, p. 19.

Guevara, Josefina Castañeira. «La víspera del hombre». El Mundo, San Juan, P. R., 18 de julio de 1959, Año XLI, Núm. 14920, p. 8.

Hanson, Earl Parker. Puerto Rico: Land of Wonders. New York: Alfred A. Knopf, 1960.

Holzapfel, Tamara. «The Theater of René Marqués: In Search of Identity and Form». Dramatists in Revolt: The New Latin American Theater. Austin: University of Texas Press, 1976, pp. 146-66.

Jaimes-Freyre, Mireya. «Otro día nuestro de René Marqués». Arte y Letras, San Juan, P. R., Feb. de 1957, Núm. 2, pp. 17-19.

Lacomba, José M. «Introducción y portada». En René Marqués, Inmersos en el silencio. Río Piedras: Editorial Antillana, 1976.

Laguerre, Enrique. «Otro día nuestro». Asomante, San Juan, P. R., julio-septiembre, 1955, Año IX, Núm. 3, pp. 67-70.

— Pulso de Puerto Rico. San Juan: Biblioteca de Autores Puertorriqueños, 1956.

LAVANDERO, CARMEN. «The People are Puerto Rico's Greatest Resource». *The San Juan Star* (Aug. 12, 1977), p. 20.

LEAL, LUIS, et al. *Literatura de Hispanoamérica.* New York: Harcourt, Brace and World, 1970.

LOVEN, SVEN. Citado en Eunice M. Lugo, «La víspera del hombre. A novel by René Marqués». *Studies in honor of J. R. Bernardete.* New York: Las Americas Publishing Co., 1965.

LUGO, EUNICE M. «La víspera del hombre. A novel by René Marqués». *Studies in honor of J. R. Bernardete.* New York: Las Americas Publishing Co., 1965.

LUGO SUÁREZ, ADELAIDA. «Laudo del certamen de novela». *El Mundo,* San Juan, P. R., 14 de marzo de 1959, Año XLI, Núm. 14813, p. 26.

LYDAY, LEON F., et al. *Dramtists in Revolt: The New Latin American Theatre.* Austin: University of Texas Press, 1976.

MALDONADO DENIS, MANUEL. «En una ciudad llamada San Juan». *Asomante,* San Juan, P. R., enero-marzo, 1963, Año XIX, Núm. 1, pp. 68-70.

MANRIQUE, FRANCISCO CABRERA. *Historia de la literatura puertorriqueña.* Río Piedras: Editorial Cultural, Inc., 1975.

MARQUÉS, RENÉ. *En una ciudad llamada San Juan.* 3rd ed. Río Piedras: Editorial Cultural, Inc., 1970.

— *Purificación en la calle del Cristo (cuento), Los soles truncos (teatro).* Río Piedras: Editorial Cultural, Inc., 1973.

— *Cuentos puertorriqueños de hoy.* 5th ed. Río Piedras: Editorial Cultural, Inc., 1975.

— *La víspera del hombre.* 5th ed. Río Piedras: Editorial Cultural, Inc., 1975.

— *Ese mosaico fresco sobre aquel mosaico antiguo.* Río Piedras: Editorial Cultural, Inc., 1975.

— *Inmersos en el silencio.* Río Piedras: Editorial Antillana, 1976.

— *La mirada.* Río Piedras: Editorial Antillana, 1976.

MARTÍN, ELEANOR J. *René Marqués.* Boston: Twayne Publishers, 1979.

McLEOD, RALPH O. «The Theater of René Marqués: A Search for Identity in Life and in Literature». Diss., University of New-México, 1975.

MELÉNDEZ, CONCHA. *Antología de autores puertorriqueños: El Cuento.* San Juan, Puerto Rico: Estado Libre Asociado de Puerto Rico, 1957.

— *Figuración de Puerto Rico y otros estudios.* San Juan: Instituto de Cultura Puertorriqueña, 1958.

— El cuento en Cuba y Puerto Rico: Estudio sobre dos antologías». *Revista Hispánica Moderna,* abril-julio, 1958, pp. 201-212.

— «La víspera del hombre». Asomante, San Juan, P. R., abril-junio, 1960, Año XVI, Núm. 2, pp. 102-107.

— «Isla personificada en un cuento de René Marqués». *Sin Nombre,* San Juan, P. R., enero-marzo, 1972, Año II, Núm. 3, pp. 17-23.

MELÉNDEZ, JULIO. «El tema político en René Marqués». *El Mundo,* San Juan, P. R., 3 de agosto de 1963, Año XLV, Núm. 16236, p. 24.

MENTON, SEYMOUR. *El cuento hispanoamericano,* Vol. II, México: Fondo de cultura económica, 1964.

Ministerio de Información y Turismo (España), citado en René Marqués, *La mirada*. Río Piedras: Editorial Antillana, 1975 p. 9.

Mizio, Emelicia. «Impact of External Systems on the Puerto Rican Family». *Social Casework* (Feb., 1974), Vol. 55, Núm. 2, pp. 78-79.

Monclava, Lidio Cruz. *El Grito de Lares*. San Juan: Instituto de Cultura Puertorriqueña, 1968.

Nechodema, Antonin. *El libro de Puerto Rico*, Eugenio Fernández, editor. New York: Press of the Lent and Graff Co., 1923.

Olivera, Otto. *Breve historia de la literatura antillana*. México City, 1957.

Otto, Sue Ellen Kovacic. «Linguistic Aspects of Selected Works of Miguel Ángel Asturias». Ph. D. Dissertation, Universidad de Iowa, 1977, p. 38.

Pacheco, José Emilio. «La negación alentadora». *México en la cultura*, April 2, 1961.

— Citado en Charles Pilditch, *René Marqués. A Study of His Fiction*. New York: Plus Ultra Educational Publishers, Inc., 1976, p. 54.

Pilditch, Charles. «La escena puertorriqueña en Los Soles Truncos». *Asomante*, San Juan, P. R., abril-junio, 1961, Año XVII, Núm. 2, pp. 51-58.

— *René Marqués. A Study of His Fiction*. New York: Plus Ultlra, 1976.

Portela, Francisco V. «Una entrevista con René Marqués: Nuestro colaborador habla de teatro y literatura puertorriqueña». *Artes y Letras*, San Juan, P. R., agosto de 1957, Núm. 8, pp. 3, 5.

Quiles de la Luz, Lillian. *El cuento en la literatura puertorriqueña*. Río Piedras: Editorial Universidad de Puerto Rico, 1968.

Reyes, Edwin. «René Marqués sobre la razón del dócil». *Claridad*, San Juan, P. R., 14 de febrero de 1971, Año XIII, Núm. 293, pp. 22, 23.

Rivera, Julián J. «Growth of Puerto Rican Awareness». *Social Casework* (Feb., 1974), Vol. 55, Núm. 2, p. 85.

Robles de Cardona, Mariana. «Laudo del jurado: Certamen de cuentos del ateneo». *El Mundo*, San Juan, P. R., 21 de enero de 1956, Año XXXVII; Núm. 13838, p. 20.

Rodríguez Ramos, Esther. *Los cuentos de René Marqués*. Río Piedras: Editorial Universitaria, 1975.

Rodríguez Trese, Marcos. «Entrevista René Marqués: 15 obras de teatro, 2 tomos de cuentos, varios ensayos, una novela y hasta un poemario». *La Hora*, San Juan P. R., 1 de septiembre de 1971, Año I, Núm. 1, pp. 18-19.

Romero, Luis. Antologizado en Henry Hare Carter, *Cuentos de España hoy*. New York: Holt, et al., 1974.

Rosario, Rubén del. *La lengua de Puerto Rico*. 10th ed. Río Piedras: Editorial Cultural, Inc., 1972.

Sánchez, Hiram A. «El último de René Marqués: Un cuento universal, único». *La Hora*, San Juan , P. R., 24 de mayo de 1972, Año 11, Núm. 39, p. 18.

Shaw, D. L. «René Marqués' *La muerte no entrará en palacio*: An Analysis». *Latin American Theater Review*, 11, i (Fall, 1968), pp. 31-38.

Siemans, William L. «Assault on the Schizoid Wasteland: René Marqués'

El apartamento». *Latin American Theatre Review*, Spring, 1974, pp. 17-25.

SOLÓRZANO, CARLOS. *Teatro latinoamericano del siglo XX*. Buenos Aires, 1961.

SOTO, PEDRO JUAN. «Otro día nuestro: cuentos de rebeldía y esperanza». *El Mundo*, San Juan, P. R., 2 de julio de 1955, Año XXVII, Núm. 13664, p. 16.

SUÁREZ, LUGO. *El Mundo*, 14 de marzo de 1959, p. 26.

UNAMUNO, MIGUEL DE. *Del sentimiento trágico de la vida*. New York: Las Americas Publishing Co., 1962.

USLAR-PIETRI, ARTURO. Antologizado en Ángel Flores, *Historia y antología del cuento y la novela Hispanoamericana*. New York: Las Américas Publishing C., 1959.

VALVERDE, LUCIANO. «La semana de Puerto Rico». *El Adelanto* (Salamanca), Octubre 20, 1964, p. 2.

EDITORIAL PLIEGOS

Autonomía cultural: de Emerson a Martí, José C. Ballón.
El primer Onetti y sus contextos, María C. Milián-Silveira.
La dialéctica del amor en la narrativa de Juan Valera, Carole
    J. Rupe.
La narrativa anarquista de Manuel Rojas, Darío A. Cortés.
El modo épico de José María Arguedas, Vincent Spina.
La jerarquía femenina en la obra de Pérez Galdós, Daria J. Mon-
    tero-Paulson.

colección pliegos de poesía

Canto del paso, Francisco Andras.
Candela viva, Teobaldo A. Noriega.
Bronces dolientes, Venus Lidia Soto.

colección pliegos de narrativa

La resurrección de las tataguayas, Diosdado Consuegra.